Meine Welt auf Deutsch

Der illustrierte Alltags- und Sachwortschatz

von
Cordula Meißner
Beata Menzlová
Almut Mohrmann

Ernst Klett Sprachen
Stuttgart

1. Auflage   1 ⁵⁴³²¹ | 2013 12 11 10

Alle Drucke dieser Auflage sind unverändert und können im Unterricht nebeneinander verwendet werden.

Internetadresse: www.klett.de / www.lektueren.com

Autorinnen: Cordula Meißner, Beata Menzlová, Almut Mohrmann
Fachliche Beratung: Prof. Dr. Christian Fandrych, Herder-Institut, Universität Leipzig

Redaktion: Lucie Palisch
Layoutkonzeption und Satz: one pm, Petra Michel, Stuttgart
Illustrationen: Friederike Ablang, Berlin
Herstellung: Sandra Vrabec, Ulrike Wollenberg
Umschlaggestaltung: one pm, Petra Michel, Stuttgart
Titelbild: Friederike Ablang, Berlin
Druck und Bindung: Mohn media Mohndruck GmbH,
Carl-Bertelsmann-Straße 161 M, 33311 Gütersloh

Audio-CD
Aufnahmeleitung: Ernst Klett Sprachen GmbH, Stuttgart
Tontechnik und Produktion: Bauer Tonstudios GmbH, Ludwigsburg
Sprecher: Charlotte Bär, Julia Bär, Lea Denkinger, Elena Herrmann,
Lukas Holtmann, Bettina Schramm
Presswerk: optimal media production GmbH, Röbel/Müritz

Printed in Germany

ISBN 978-3-12-674896-4

Meine Welt auf Deutsch
Der illustrierte Alltags- und Sachwortschatz

Für wen ist dieses Buch gedacht?

Du lernst Deutsch und möchtest neue Wörter dazulernen?
Dann ist dieser Wortschatz genau das Richtige für dich.

Wir haben die wichtigsten 2000 Wörter ausgesucht, die du in deinem Alltag und
in der Schule benötigst. Damit du bei den vielen Wörtern den Überblick nicht verlierst,
haben wir sie auf 13 thematische Kapitel verteilt.

Das bin ich | In der Schule | Einkaufen | Im Kulturzentrum | Medien

Mein Tag | Zu Hause | In den Ferien | In der Stadt | Die Umwelt

Körper und Gesundheit | In der Natur | Rund um die Welt

Was findest du in diesem Buch?

Jedes der 13 Kapitel fängt mit einem großen Wimmelbild an. So kannst du gleich auf den
ersten Blick sehen, was dich auf den nächsten Seiten erwartet. Außerdem kannst du
schauen, welche Wörter du vielleicht schon kennst und was du noch Neues lernen kannst.

Nach dem Wimmelbild folgen dann mehrere Doppelseiten zu dem Thema.
Alle Doppelseiten sind gleich aufgebaut:

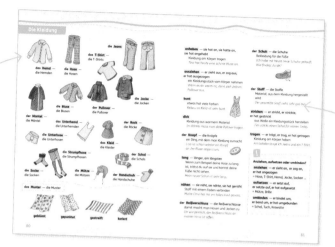

Links findest du die
Wörter durch eine
Illustration erklärt.

Rechts stehen bei jedem
Wort eine **Erklärung**
und ein **Beispielsatz**.

Die Wörter auf der rechten Seite sind alphabetisch geordnet.

Was kannst du über die Wörter alles erfahren?

Bei den Substantiven findest du immer
den **Artikel** und die **Pluralform**.

die **Pflaume** —
die Pflaumen

Steht bei einem Substantiv keine Pluralform,
gibt es sie nicht oder man verwendet sie
nur selten.

der **Blumenkohl**

Manche Substantive haben keine Singular-
form oder man verwendet sie nur selten.
Bei diesen steht dann **(Plural)**.

die **Spagetti** (Plural)
eine sehr lange dünne Nudel
Ich liebe Spagetti mit Tomatensoße.

Bei den Verben findest du neben der
Grundform noch die er- oder sie-Form für
die **Gegenwart** und für die **Vergangenheit.**

würzen — er würzt,
er würzte, er hat gewürzt

Bei den Adjektiven findest du manchmal auch die **Steigerungsformen**. Diese sind nur aufgeführt, wenn sie nicht regelmäßig gebildet werden.

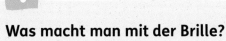

Was macht man mit der Brille?
Du kannst deine Brille aufsetzen / tragen / absetzen oder abnehmen.

viel — mehr, am meisten

Auf den Doppelseiten steht manchmal auch ein **Kasten** mit zusätzlichen Informationen. Hier kannst du zum Beispiel erfahren, wie man Wörter miteinander kombinieren kann.

Was gibt es noch?

Weiteren wichtigen Wortschatz findest du im **Anhang**. Dort gibt es dann Wörter zu Sonderthemen wie zum Beispiel zu Zahlen, Fragen oder zum Kalender. Außerdem erfährst du hier auch, wie man im Deutschen neue Wörter bilden kann.

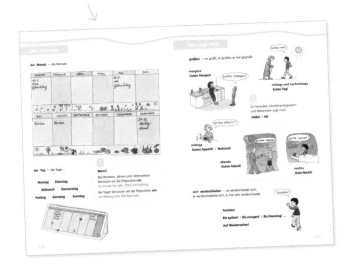

In der **Wortliste** am Ende des Buches sind alle Wörter alphabetisch aufgelistet, die du auf den Doppelseiten finden kannst. Hier ist auch die Seite angegeben, auf der du die Wörter suchen kannst.

Zu diesem Wörterbuch gehört auch eine **Audio-CD**. Hier kannnst du dir zu jedem der 13 Kapitel einen Text oder einen Dialog anhören.

Viel Spaß und viel Erfolg beim Lernen wünschen dir die Autorinnen!

Inhalt

Ich stelle mich vor

das **Kind** — die Kinder

der **Erwachsene** — die Erwachsenen

der **Junge** —
die Jungen / Jungs

das **Mädchen** —
die Mädchen

die **Frau** —
die Frauen

der **Mann** —
die Männer

dick

dünn

alt —
älter, am ältesten

jung —
jünger, am jüngsten

klein

groß —
größer, am größten

schwach — schwächer,
am schwächsten

stark — stärker,
am stärksten

VORNAME : *Luis*
NACHNAME : *Meier*
GEBURTSDATUM : *18.6.2001*
GEBURTSORT : *Berlin*

EIGENSCHAFTEN : *lache gern,*
bin manchmal unordentlich
MEINE HOBBYS : *Malen, Lesen*
DAS MAG ICH : *Eis, Hunde*

das Alter
die Jahre, die ein Mensch oder eine
Sache schon existiert
*Im Alter von 6 Jahren kommen Kinder
in die Schule.*

die Eigenschaft — die Eigenschaften
an diesen Merkmalen kann man Menschen oder Sachen unterscheiden
*Meine beste Eigenschaft ist, dass ich
viel lache.*

faul
Wenn jemand nicht gerne arbeitet,
ist er faul.
Peter ist faul, er hilft uns nie.

das Geburtsdatum — die Geburtsdaten
der Tag, an dem man geboren ist
Ich bin am 18. Juni 2001 geboren.
Das ist mein Geburtsdatum.

der Geburtsort — die Geburtsorte
das Dorf oder die Stadt, wo man
geboren ist
Ich bin in Berlin geboren.
Das ist mein Geburtsort.

heißen — sie heißt, sie hieß,
sie hat geheißen
einen Namen haben
Meine Schwester heißt Pia.

das Hobby — die Hobbys
Dinge, die man in der Freizeit gern tut
*Meine Hobbys sind Fußball, Malen
und Singen.*

mögen — er mag, er mochte,
er hat gemocht
etwas gern haben
Am allerliebsten mag ich Schokoladeneis.

der Nachname — die Nachnamen
der Name der Familie
Ich heiße Luis Meier.
Meier ist mein Nachname.

neugierig
Wenn jemand alles wissen möchte,
ist er neugierig.
*Ich bin neugierig, was ich zum Geburts-
tag bekomme.*

sein — er ist, er war, er ist gewesen
Ich bin ein Junge. Ich bin acht Jahre alt.

unordentlich
Wenn jemand seine Sachen nicht gut
aufräumt, ist er unordentlich.
*Marlies ist sehr unordentlich. In ihrem
Zimmer herrscht immer Chaos.*

der Vorname — die Vornamen
der erste Name einer Person
Ich heiße Luis Meier.
Luis ist mein Vorname.

sich vorstellen — er stellt sich vor,
er stellte sich vor, er hat sich vorgestellt
seinen Namen nennen und etwas
über sich sagen
*Der neue Mitschüler stellte sich
in der Klasse vor.*

So sehe ich aus

 **die** Nase — die Nasen

 **das** Ohr — die Ohren

die Stirn

 **das** Auge — die Augen

der Mund — die Münder

das Haar — die Haare

kurz — kürzer,
am kürzesten

lang — länger,
am längsten

lockig

glatt

der Zopf — die Zöpfe

die Glatze — die Glatzen

!

Sie hat kurze Haare. /
Sie hat kurzes Haar.

die Haarfarbe — die Haarfarben

blond

braun

rot

schwarz

aussehen — sie sieht aus, sie sah aus,
sie hat ausgesehen
> eine bestimmte Farbe, Figur oder Größe
> haben
> *Meine Freundin sieht immer gut aus –*
> *sie ist sehr hübsch.*

der Bart — die Bärte
> bei Männern Haare am Kinn
> und den Wangen
> *Mein Onkel hat einen langen Bart.*

beschreiben — er beschreibt, er beschrieb,
er hat beschrieben
> erklären, wie eine Person oder Sache ist
> und aussieht
> *Der Junge hat den Dieb bei der Polizei*
> *genau beschrieben.*

blass
> eine sehr helle Haut
> *Du bist so blass im Gesicht. Bist du krank?*

finden — er findet, er fand,
er hat gefunden
> über eine Person oder Sache eine
> Meinung haben
> *Diesen Lehrer finde ich nett.*

gefallen — er gefällt, er gefiel,
er hat gefallen
> eine Person oder eine Sache
> hübsch finden
> *Diesen Rock möchte ich haben,*
> *er gefällt mir sehr gut.*

das Gesicht — die Gesichter
> der Teil vom Kopf mit Augen,
> Nase und Mund
> *Das Kind hat ein schönes Gesicht.*

haben — sie hat, sie hatte, sie hat gehabt
> *Als Kind hatte ich blonde Haare.*

hässlich
> nicht schön
> *Ich mag die Hose nicht, sie ist hässlich.*

hübsch
> schön
> *Meine Freundin hat ein hübsches Kleid.*

der Kopf — die Köpfe
> der Körperteil, der auf dem Hals sitzt
> *Mein Opa hat einen runden Kopf.*

sich schminken — sie schminkt sich,
sie schminkte sich, sie hat sich geschminkt
> das Gesicht mit Make-up bemalen,
> damit man schön oder lustig aussieht
> *Meine Mutter schminkt sich jeden Morgen.*

die Sommersprosse —
die Sommersprossen
> kleine braune Flecken am Körper,
> die von der Sonne entstehen
> *Im Sommer habe ich auf der Nase viele*
> *Sommersprossen.*

Was macht man mit der Brille?
Du kannst deine Brille aufsetzen /
tragen / absetzen oder abnehmen.

So fühle ich mich

sich freuen —
sie freut sich, sie freute sich,
sie hat sich gefreut

küssen — sie küsst,
sie küsste, sie hat geküsst

lachen — er lacht,
er lachte, er hat gelacht

lieben — er liebt,
er liebte, er hat geliebt

die **Träne** — die Tränen

streiten — sie streitet,
sie stritt, sie hat gestritten

weinen — sie weint,
sie weinte, sie hat geweint

das **Gefühl** — die Gefühle

fröhlich

die **Freude**

ängstlich

die **Angst**

traurig

die **Trauer**

wütend

die **Wut**

mutig

der **Mut**

Angst haben — er hat Angst,
er hatte Angst, er hat Angst gehabt
   Dieses Gefühl hat man, wenn etwas
   Schlimmes passiert.
   Eric hat vor Schlangen keine Angst.

ärgern — sie ärgert, sie ärgerte,
sie hat geärgert
   etwas machen, was dem anderen
   nicht gefällt oder ihn stört
   *Sie ärgert ihren Bruder und nimmt
   ihm immer das Spielzeug weg.*

sich ärgern — er ärgert sich,
er ärgerte sich, er hat sich geärgert
   unzufrieden sein über etwas,
   was geschieht
   *Ich ärgere mich, dass ich nicht
   fernsehen darf.*

eifersüchtig
   was man fühlt, wenn zum Beispiel die
   beste Freundin nur noch mit jemand
   anderem spielen will
   *Tina ist eifersüchtig, weil alle nur ihren
   kleinen Bruder bewundern.*

einsam
   sich allein fühlen
   Ich bin einsam, weil keiner mit mir spielt.

sich entschuldigen —
er entschuldigt sich, er entschuldigte sich,
er hat sich entschuldigt
   jemandem sagen, dass es mir leid tut,
   was ich Böses gesagt oder getan habe
   *Ich habe mich bei Tim dafür entschuldigt,
   dass ich ihn geärgert habe.*

gemein
   jemandem schlechte Dinge sagen
   oder antun
   *Das ist gemein, dass du mir das Buch
   nicht leihen willst.*

glücklich
   Wenn du dich sehr freust, bist
   du glücklich.
   *Ich bin glücklich, ich habe endlich einen
   Hund bekommen.*

hassen — er hasst, er hasste,
er hat gehasst
   etwas überhaupt nicht mögen
   Ich hasse schlechtes Wetter.

schimpfen — er schimpft, er schimpfte,
er hat geschimpft
   Wenn du schimpfst, ärgerst du dich
   laut über etwas oder jemanden.
   *Die Eltern schimpfen, wenn Pia ihren
   Bruder ärgert.*

sich vertragen — er verträgt sich,
er vertrug sich, er hat sich vertragen
   wieder der Freund von jemandem sein,
   mit dem man sich vorher gestritten hat
   *Olli hat sich bei Marc entschuldigt
   und jetzt vertragen sie sich wieder.*

In der Klasse

 **die** Schultasche —
die Schultaschen /
der Schulranzen —
die Schulranzen

 **das** Heft —
die Hefte

 **das** Buch —
die Bücher

das Lineal —
die Lineale

der Füller —
die Füller
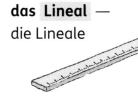

 die Patrone —
die Patronen

der Kuli —
die Kulis

 **die** Tafel —
die Tafeln

die Kreide

der Schwamm —
die Schwämme

anschreiben —
er schreibt an,
er schrieb an,
er hat angeschrieben

abwischen —
sie wischt ab,
sie wischte ab,
sie hat abgewischt

der Bleistift —
die Bleistifte
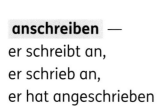

stumpf

der Radiergummi —
die Radiergummis

spitz

wegradieren —
er radiert weg, er radierte weg,
er hat wegradiert

der Spitzer —
die Spitzer

anspitzen —
sie spitzt an, sie spitzte an,
sie hat angespitzt

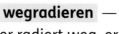

antworten — er antwortet, er antwortete, er hat geantwortet
> wenn jemand etwas fragt und du etwas darauf sagst
> *Jan konnte auf alle Fragen der Lehrerin antworten.*

aufschlagen — er schlägt auf, er schlug auf, er hat aufgeschlagen
> ein Buch oder ein Heft öffnen
> *Schlagt die Bücher auf Seite 15 auf!*

auspacken — er packt aus, er packte aus, er hat ausgepackt
> etwas aus einer Tasche nehmen
> *Zu Beginn der Schulstunde packen alle Kinder ihre Schulsachen aus.*

deutlich
> etwas, was klar ist oder was man gut verstehen kann
> *Schreibe bitte ein bisschen deutlicher, ich kann es sonst nicht lesen.*

einpacken — er packt ein, er packte ein, er hat eingepackt
> etwas in eine Tasche tun
> *Nach der Schulstunde packen alle Kinder ihre Schulsachen ein.*

erklären — sie erklärt, sie erklärte, sie hat erklärt
> jemandem genau sagen, wie etwas ist oder wie es funktioniert
> *Kannst du mir erklären, wie man diese Aufgabe löst?*

erlauben — er erlaubt, er erlaubte, er hat erlaubt
> wenn jemand sagt oder bestimmt, dass man etwas tun darf
> *Meine Eltern erlauben mir schon, allein in die Schule zu gehen.*

flüstern — sie flüstert, sie flüsterte, sie hat geflüstert
> leise sprechen
> *Luise flüsterte mir etwas ins Ohr.*

fragen — er fragt, er fragte, er hat gefragt
> Wenn du etwas nicht weißt, kannst du jemanden fragen.
> *Peter fragt Laura, was sie am Wochenende gemacht hat.*

sich melden — er meldet sich, er meldete sich, er hat sich gemeldet
> den Arm heben und zeigen, dass man etwas sagen möchte
> *Lehrer: „Wer weiß, was ein Quader ist?"*
> *Tom weiß die Antwort und meldet sich.*

vergessen — sie vergisst, sie vergaß, sie hat vergessen
> • etwas nicht mehr wissen, was man schon gewusst hat
> *Ich habe das Wort ganz vergessen.*
> • an etwas nicht gedacht haben
> *Ich habe heute schon wieder meine Sportsachen zu Hause vergessen.*

sich verschreiben — er verschreibt sich, er verschrieb sich, er hat sich verschrieben
> etwas falsch schreiben
> *Oh nein, ich habe mich verschrieben!*

Mein Stundenplan

das **Schulfach** — die Schulfächer

Deutsch

Englisch

Mathematik / Mathe

Religion

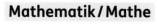

Kunst

Musik

Sport

Sachunterricht

!

montags / **dienstags** /...
= an jedem Montag / Dienstag /...
*Montags haben wir Sportunterricht
und dienstags Kunst.*

der **Stundenplan** — die Stundenpläne

Zeit	Montag	Dienstag	Mittwoch	Donnerstag	Freitag
8.00 – 8.45	Deutsch	Deutsch	Sport	Sport	Religion
8.55 – 9.40	Mathe	Mathe	Mathe	Deutsch	Deutsch
große Pause					
10.00 – 10.45	Sport	Kunst	Englisch	Mathe	Mathe
10.55 – 11.40	Religion	Deutsch	Musik	Sach-unterricht	Kunst
11.50 – 12.35		Sach-unterricht			

ausfallen — er fällt aus, er fiel aus,
er ist ausgefallen
  wenn etwas, zum Beispiel eine Schulstunde, nicht stattfindet
  Heute hatten wir in der ersten Stunde
  frei. Deutsch ist ausgefallen.

dürfen — sie darf, sie durfte,
sie hat ... dürfen
  etwas tun können, weil andere
  es erlauben
  Ich darf heute länger fernsehen.

fleißig
  wenn man viel, schnell und gut arbeitet
  Ich habe schon alle Hausaufgaben
  gemacht. – Na, du bist aber fleißig!

frei haben — er hat frei, er hatte frei,
er hat frei gehabt
  nicht arbeiten müssen und
  keine Schule haben
  Morgen haben wir frei, denn es
  ist ein Feiertag.

der Hort — die Horte
  ein Ort meistens in der Schule, an dem
  man gemeinsam Hausaufgaben macht
  oder spielt
  Tina geht montags und mittwochs
  bis 16 Uhr in den Hort.

sich konzentrieren — er konzentriert sich,
er konzentrierte sich, er hat sich konzentriert
  an einer Aufgabe arbeiten und an nichts
  anderes denken
  Mach den Fernseher aus, ich muss mich
  auf meine Hausaufgaben konzentrieren.

langweilig
  wenn dich etwas nicht interessiert
  und du denkst, es dauert viel zu lange
  Lukas findet Mathe langweilig.

lernen — er lernt, er lernte, er hat gelernt
  etwas Neues erfahren; wenn du etwas
  weißt, was du vorher nicht gewusst hast
  Heute haben wir in der Schule gelernt,
  welche Tiere im Bach leben.

das Lieblingsfach — die Lieblingsfächer
  das Schulfach, das du in der Schule
  am meisten magst
  Kunst ist Susannes Lieblingsfach.

müssen — sie muss, sie musste,
sie hat ... müssen
  etwas tun, weil andere es sagen
  Ich muss noch Hausaufgaben machen.

die Pause — die Pausen
  Zeit zwischen zwei Terminen, in der man
  sich ausruht
  In der Schule gibt es große und kleine
  Pausen.

die Schulstunde — die Schulstunden
  Eine Schulstunde dauert meistens
  45 Minuten.
  Nach der zweiten Schulstunde haben
  wir große Pause.

täglich
  jeden Tag
  Ich muss täglich, außer am Wochenende,
  um 7.00 Uhr aufstehen.

das **Satzzeichen** — die Satzzeichen

Das ist Peter**.**
der **Punkt** — die Punkte

Hilfe**!**
das **Ausrufezeichen** — die Ausrufezeichen

Was ist das **?**
das **Fragezeichen** — die Fragezeichen

Peter**,** Paul und Tim gehen in eine Klasse.
das **Komma** — die Kommas/Kommata

Peter sagte **:** „Hallo."
der **Doppelpunkt** — die Doppelpunkte

der **Absatz** — die Absätze

die **Überschrift** — die Überschriften

Die deutsche Sprache

1　Über 100 Millionen Menschen sprechen Deutsch als Muttersprache. Aber sie leben nicht alle in Deutschland.

5　Deutsch spricht man auch in Österreich, in der Schweiz und in Lichtenstein. In diesen Ländern klingt die deutsche Sprache ein bisschen anders als in Deutschland.

10　Auch in Deutschland hört sich Deutsch nicht immer gleich an. Es gibt verschiedene Dialekte und für manche Sachen oft auch mehrere Wörter:

der Samstag	der Sonnabend
das Brötchen	die Semmel
die Klassenarbeit	die Schulaufgabe

13

die **Zeile** — die Zeilen

die **Spalte** — die Spalten

die **Seite** — die Seiten

abschreiben — er schreibt ab,
er schrieb ab, er hat abgeschrieben
 etwas genauso aufschreiben,
 wie es woanders steht
 Luis schreibt einen Satz aus dem Buch ab.

das Alphabet
 eine bestimmte Reihenfolge
 von Buchstaben
 Im Wörterbuch sind die Wörter nach
 dem Alphabet geordnet: A, B, C …

aussprechen — er spricht aus,
er sprach aus, er hat ausgesprochen
 etwas laut sagen
 Wie spricht man das auf Englisch aus?

der Buchstabe — die Buchstaben
 Zeichen, die man beim Schreiben eines
 Wortes verwendet
 A ist der erste Buchstabe im Alphabet.

buchstabieren — sie buchstabiert,
sie buchstabierte, sie hat buchstabiert
 alle Buchstaben eines Wortes sagen
 Kannst du deinen Namen buchstabieren?
 L-U-I-S-E.

das Diktat — die Diktate
 Wenn du ein Diktat schreibst, schreibst
 du genau auf, was jemand vorliest.
 Gestern haben wir ein Diktat geschrieben
 und ich hatte null Fehler.

heißen — es heißt, es hieß,
es hat geheißen
 eine Bedeutung haben
 Was heißt das auf Deutsch?

der Satz — die Sätze
 eine Reihe von Wörtern, die mit
 einem Satzzeichen endet
 Beantwortet die Fragen mit ganzen Sätzen.

schreiben — er schreibt, er schrieb,
er hat geschrieben
 mit Buchstaben etwas festhalten
 Ich kann schon schreiben.

der Text — die Texte
 eine Reihe von Sätzen, die zusammen
 gehören
 Wir sollen diesen Text noch einmal lesen.

vorlesen — sie liest vor, sie las vor,
sie hat vorgelesen
 für jemanden laut lesen
 Maria liest Johanna ein Märchen vor.

das Wort — die Wörter
 ein kleiner Teil des Satzes
 Dieser Satz besteht aus fünf Wörtern.

das Wörterbuch — die Wörterbücher
 ein Buch, in dem Informationen über
 die Bedeutung oder Rechtschreibung
 eines Wortes stehen
 Wie schreibt man „Handy"? –
 Schau doch im Wörterbuch nach.

zusammenfassen —
er fasst zusammen, er fasste zusammen,
er hat zusammengefasst
 die wichtigsten Informationen aus
 einem Text nennen
 Fasse den Text mit eigenen Worten
 zusammen.

Mathematik

die Zahl —
die Zahlen

1, 2, 3

die Tabelle —
die Tabellen

das Lineal —
die Lineale

der Taschenrechner —
die Taschenrechner

---

die Fläche — die Flächen

das Quadrat —
die Quadrate

das Rechteck —
die Rechtecke

der Kreis —
die Kreise

das Dreieck —
die Dreiecke

der Körper — die Körper

der Würfel —
die Würfel

die Kugel —
die Kugeln

der Quader —
die Quader

---

rechnen — er rechnet, er rechnete, er hat gerechnet

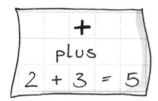

addieren —
er addiert, er addierte,
er hat addiert

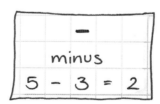

subtrahieren —
er subtrahiert, er subtra-
hierte, er hat subtrahiert

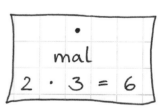

multiplizieren —
er multipliziert, er multi-
plizierte, er hat multipliziert

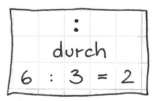

dividieren —
er dividiert, er dividierte,
er hat dividiert

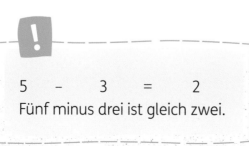

!

5 – 3 = 2
Fünf minus drei ist gleich zwei.

denken — er denkt, er dachte,
er hat gedacht
- im Kopf arbeiten
  „169 durch 13 ergibt 13", dachte Jan.
- glauben
  Ich denke, das ist richtig. Oder?

das Ergebnis — die Ergebnisse
die Lösung eines Problems oder
einer Aufgabe
3+2=5. Fünf ist das Ergebnis.

größer als
Das Zeichen für „größer als" ist >.
Der Wert links von > ist größer als
der Wert rechts.
4 > 2. Vier ist größer als zwei.

jeder
alle Dinge oder Personen einer Gruppe
In Textaufgaben mit „jeder" muss man
oft multiplizieren oder dividieren.
*Peter hat 5 Freunde. Zum Geburtstag
schenkt ihm jeder zwei Murmeln. Wie
viele Murmeln hat Peter? (5·2=10)
Peter hat 10 Äpfel und 5 Freunde.
Wie viele Äpfel kann er jedem geben?
(10:5=2)*

kleiner als
Das Zeichen für „kleiner als" ist <. Der
Wert links von < ist kleiner als der Wert
rechts.
2 < 4. Zwei ist kleiner als vier.

lösen — er löst, er löste, er hat gelöst
die Antwort für ein Problem oder eine
Aufgabe finden
Löst bitte jetzt die nächste Aufgabe!

messen — sie misst, sie maß,
sie hat gemessen
Mit einem Lineal misst man, wie lang
etwas ist.
Messt die Seitenlänge des Quadrats!

noch
- etwas kommt dazu
  Steht „noch" in einer Textaufgabe,
  muss man oft addieren.
  *Tina hat 8 Puppen. Ihre Tante schenkt
  ihr noch 2 Puppen. Wie viele Puppen hat
  Tina jetzt? (8+2=10)*
- etwas bleibt übrig
  Steht „noch" in der Frage der Aufgabe,
  muss man oft subtrahieren.
  *Paul hat 5 Murmeln. Beim Spielen verliert
  er 3. Wie viele hat er noch? (5-3=2)*

wie viel
Frage nach der Menge oder dem Ergebnis
Wie viel ist 3+8 ?

gerade Zahl
Die Zahlen, die auf 0, 2, 4, 6 oder 8
enden, heißen gerade Zahlen. Man kann
sie durch 2 teilen.
56 ist eine gerade Zahl.

ungerade Zahl
Die Zahlen, die auf 1, 3, 5, 7 oder 9
enden, heißen ungerade Zahlen.
Man kann sie nicht durch 2 teilen.
57 ist eine ungerade Zahl.

Aufgaben lösen

ankreuzen —
er kreuzt an, er kreuzte
an, er hat angekreuzt

einkreisen —
er kreist ein, er kreiste
ein, er hat eingekreist

unterstreichen —
er unterstreicht, er unter-
strich, er hat unterstrichen

verbinden —
er verbindet, er verband,
er hat verbunden

Hund d

korrigieren —
er korrigiert, er korrigierte,
er hat korrigiert

das Arbeitsblatt — die Arbeitsblätter

die Aufgabe —
die Aufgaben

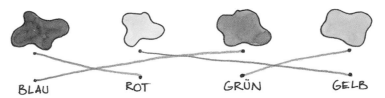

NAME: *Julia Herbst*

1. KREUZE DIE RICHTIGE ANTWORT AN!

   HUND ◯ DIE ⊗ DER ◯ DAS

2. KREISE ALLE TIERE EIN!

   STUHL   BROT   (FROSCH)   SOCKE   EIS   (HUND)
   TISCH   (KATZE)   BUCH

3. VERBINDE DIE FARBEN MIT DEN WÖRTERN!

   BLAU   ROT   GRÜN   GELB

4. UNTERSTREICHE ALLE WÖRTER, DIE DU ERKENNST!

   SCHLAF̲E̲N̲T̲F̲D̲U̲Z̲X̲I̲O̲N̲K̲E̲L̲JM̲E̲U̲N̲D̲U̲K̲Ö̲L̲E̲H̲R̲E̲RIP
   KJT̲R̲A̲U̲R̲I̲G̲HKZ̲O̲P̲FIUF̲E̲I̲E̲R̲NU

5. ORDNE DIE WÖRTER NACH DEM ALPHABET!
   SÜSS, LAUFEN, HAUS, FRÖHLICH, GEHT, KLASSE

   fröhlich, geht, Haus, Klasse, laufen, süß

falsch
nicht richtig
2+3=6. Das ist falsch. 2+3=5 ist richtig.

der Fehler — die Fehler
eine falsche Entscheidung oder Lösung
Im letzten Diktat habe ich viele Fehler gemacht.

die Hausaufgabe — die Hausaufgaben
Aufgaben, die man zu Hause für die Schule machen muss
Wir haben bis morgen in Deutsch viele Hausaufgaben auf.

die Klassenarbeit — die Klassenarbeiten
Aufgaben, die alle Schüler in der Schule in einer bestimmten Zeit lösen müssen und für die sie eine Zensur bekommen
Morgen schreiben wir in Mathe schon wieder eine Klassenarbeit.

kontrollieren — sie kontrolliert, sie kontrollierte, sie hat kontrolliert
überprüfen, ob alles richtig ist
Kannst du bitte meinen Aufsatz kontrollieren, ob darin noch Fehler sind?

markieren — er markiert, er markierte, er hat markiert
etwas ankreuzen, einkreisen oder unterstreichen
Markiere alle wichtigen Stellen im Text.

ordnen — er ordnet, er ordnete, er hat geordnet
etwas in die richtige Reihenfolge oder Gruppe bringen
Ordne bitte die Bälle nach der Farbe.

richtig
korrekt
In der letzten Arbeit hatte ich alles richtig.

schwer
nicht einfach
Die erste Aufgabe war ziemlich schwer.

sollen — sie soll, sie sollte, sie hat ... sollen
wenn dir jemand rät oder sagt, was zu tun ist
Unsere Lehrerin sagt, wir sollen viel lesen.

überlegen — er überlegt, er überlegte, er hat überlegt
nachdenken
Paul überlegte lange, bevor er auf die Frage antwortete.

verstehen — sie versteht, sie verstand, sie hat verstanden
Wenn du etwas verstehst, weißt du, wie etwas funktioniert oder was es heißt.
Ich habe endlich verstanden, wie man multipliziert.

die Zensur — die Zensuren
Zahlen von 1 bis 6, die man in der Schule für sein Wissen und Arbeiten bekommt.
1 ist die beste Zensur, 6 die schlechteste.

Das sagt man auch:
die Zensur = die Note

Im Schulgebäude

die Schule — die Schulen

die Bibliothek — die Bibliotheken

der Computerraum — die Computerräume

die Turnhalle — die Turnhallen

der Werkraum — die Werkräume

der Musikraum — die Musikräume

der Umkleideraum — die Umkleideräume

die Toilette — die Toiletten /
das WC — die WCs

die Mensa — die Mensen

der Eingang — die Eingänge

die Schülerin — die Schülerinnen
der Schüler — die Schüler

das Treppenhaus die Treppenhäuser

der Lehrer — die Lehrer

der Flur — die Flure

die Aula — die Aulen / die Aulas
ein großer Raum in der Schule, in dem Feiern, Konzerte oder Theateraufführungen stattfinden
In unserer Aula haben 300 Personen Platz.

der Hausmeister — die Hausmeister
die Hausmeisterin — die Hausmeisterinnen
Der Hausmeister repariert kaputte Sachen und kümmert sich um die Schule.
Herr Kühn ist seit 20 Jahren Hausmeister an unserer Schule.

kaputt
etwas, was nicht mehr funktioniert
Die Tafel ist kaputt, man kann sie nicht mehr aufklappen.

der Klassenlehrer — die Klassenlehrer
die Klassenlehrerin — die Klassenlehrerinnen
Lehrer, der für eine Klasse verantwortlich ist und sie in vielen Stunden unterrichtet
Herr Schmidt ist unser Klassenlehrer.

das Klassenzimmer — die Klassenzimmer
Raum in der Schule, in dem eine Klasse während der meisten Schulstunden ist
Unser Klassenzimmer ist gleich neben dem Musikzimmer.

das Lehrerzimmer — die Lehrerzimmer
Zimmer, in dem die Lehrer in den Pausen sitzen und ihren Unterricht vorbereiten
Tim klopfte am Lehrerzimmer und fragte, ob er mit Frau Uhl sprechen kann.

reparieren — er repariert, er reparierte, er hat repariert
etwas, was kaputt ist, wieder ganz machen, so dass es wieder funktioniert
Der Hausmeister hat die Tafel repariert.

der Schulhof — die Schulhöfe
ein Platz neben der Schule, wo man in der Pause spielt
Lisa und Pia spielen auf dem Schulhof Fußball.

die Schulklasse — die Schulklassen
eine Gruppe von 20 bis 30 Kindern, die zusammen lernen
Jan geht in die Klasse 2b.

der Schulleiter — die Schulleiter
die Schulleiterin — die Schulleiterinnen
Ein Schulleiter ist der Chef einer Schule.
Unser Englischlehrer ist seit Januar auch der Schulleiter.

die Sekretärin — die Sekretärinnen
Die Sekretärin hilft dem Schulleiter bei seiner Arbeit. Sie sitzt im Sekretariat, schreibt Briefe und telefoniert.
Du kannst deine Entschuldigung bei der Sekretärin abgeben.

unterrichten — sie unterrichtet, sie unterrichtete, sie hat unterrichtet
was ein Lehrer während einer Schulstunde macht
Frau Müller unterrichtet die Klasse 2b in Mathe und Deutsch.

Mein Tag

Die Uhrzeit

die **Uhr** — die Uhren

der **Wecker** —
die Wecker

die **Digitaluhr** —
die Digitaluhren

die **Armbanduhr** —
die Armbanduhren

die **Stoppuhr** —
die Stoppuhren

die **Ziffer** — die Ziffern

der **Sekundenzeiger**

der **Minutenzeiger**

der **Stundenzeiger**

Wie spät ist es?

Viertel
nach elf

halb zwölf

Viertel
vor zwölf

zwölf Uhr

fünf (Minuten)
nach elf

fünf (Minuten)
vor zwölf

vorgestern　　　**gestern**　　　**heute**　　　**morgen**　　　**übermorgen**

bald
in kurzer Zeit; in einer kurzen Weile
*Bald ist Weihnachten, ich freue mich
schon sehr.*

sich beeilen — er beeilt sich,
er beeilte sich, er hat sich beeilt
etwas schnell machen, weil man wenig
Zeit hat
*Es ist spät, du musst in die Schule.
Beeile dich bitte!*

dauern — er dauert, er dauerte,
er hat gedauert
die Zeit von Anfang bis zum Ende
Der Film dauert zwei Stunden.

früh
zeitig
*Du bist heute zu früh da. Wir haben noch
eine Viertelstunde Zeit.*

die Gegenwart
die Zeit, die gerade jetzt ist
*In der Gegenwart arbeiten wir an einem
Umweltprojekt.*

pünktlich
genau zu der Zeit kommen, die man
ausgemacht hat
Der Zug kommt pünktlich in Berlin an.

spät
• am Ende eines Tages oder eines Zeit-
abschnitts
Du musst schlafen. Es ist schon spät.
• unpünktlich sein
*Du bist wieder zu spät gekommen.
Der Unterricht hat schon begonnen.*

die Stunde — die Stunden
ein Zeitabschnitt, der 60 Minuten dauert
Ich warte schon seit einer Stunde auf dich.

die Vergangenheit
die Zeit, die schon war
In der Vergangenheit gab es keine Handys.

die Verspätung — die Verspätungen
später kommen, als man sollte
*Der Zug ist noch nicht da, er hat eine
halbe Stunde Verspätung.*

warten — sie wartet, sie wartete,
sie hat gewartet
Man steht oder sitzt, bis etwas
Bestimmtes passiert oder bis jemand /
etwas kommt.
Ich warte auf den Bus. Er kommt gleich.

die Zukunft
die Zeit, die erst kommen wird
In der Zukunft möchte ich viel reisen.

Stunde, Uhr oder Zeit?

In einer Stunde kommt die Oma.

*Weißt du bitte, wie viel Uhr es ist?
Es ist acht Uhr.
Wann kommst du? Um fünf (Uhr).*

*Wir haben noch fünf Minuten Zeit.
Dafür ist keine Zeit mehr.*

Der Tagesablauf

7:00

das **Frühstück**

12:00

das **Mittagessen**

19:00

das **Abendessen**

aufstehen —
er steht auf, er stand auf,
er ist aufgestanden

sich **anziehen** —
sie zieht sich an,
sie zog sich an,
sie hat sich angezogen

sich **waschen** —
er wäscht sich,
er wusch sich,
er hat sich gewaschen

essen — er isst, er aß,
er hat gegessen

duschen —
sie duscht, sie duschte,
sie hat geduscht

sich **kämmen** —
sie kämmt sich,
sie kämmte sich,
sie hat sich gekämmt

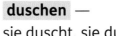
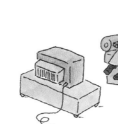

fernsehen —
er sieht fern, er sah fern,
er hat ferngesehen

lesen — sie liest,
sie las, sie hat gelesen

schlafen — er schläft,
er schlief, er hat geschlafen

aufwachen — er wacht auf, er wachte auf, er ist aufgewacht
> munter werden; aufhören zu schlafen
> *Wann bist du heute früh aufgewacht?*

ausziehen — sie zieht aus, sie zog aus, sie hat ausgezogen
> ein Kleidungsstück ablegen
> *Petra zog ihren Mantel aus.*

sich ausziehen — er zieht sich aus, er zog sich aus, er hat sich ausgezogen
> sich nackt machen; alles ablegen
> *Zieh dich aus und geh dich waschen.*

ins Bett gehen — er geht ins Bett, er ging ins Bett, er ist ins Bett gegangen
> schlafen gehen
> *Ich bin müde, deshalb gehe ich jetzt ins Bett.*

frühstücken — sie frühstückt, sie frühstückte, sie hat gefrühstückt
> am Morgen essen
> *Fast jeden Tag frühstücke ich Brötchen mit Marmelade.*

nach Hause
> dorthin gehen oder fahren, wo man wohnt
> *Nach der Schule gehe ich nach Hause und mache meine Hausaufgaben.*

zu Hause
> dort sein, wo man wohnt
> *Heute Abend bleibe ich zu Hause.*

müde
> wenn man sich schwach fühlt und schlafen möchte
> *Gestern habe ich lange ferngesehen, deshalb bin ich heute müde.*

wecken — er weckt, er weckte, er hat geweckt
> jemanden wach machen
> *Weck mich bitte um 6 Uhr, damit ich nicht zu spät komme.*

sich die Zähne putzen — er putzt sich die Zähne, er putzte sich die Zähne, er hat sich die Zähne geputzt
> die Zähne mit der Zahnbürste und Zahnpasta sauber machen
> *Ich putze mir die Zähne zweimal am Tag.*

Wie oft?

jeden Morgen = morgens
jeden Vormittag = vormittags
jeden Mittag = mittags

6 Uhr   10 Uhr   12 Uhr   14 Uhr   18 Uhr   21 Uhr

der Morgen   **der Vormittag**   **der Mittag**   **der Nachmittag**   **der Abend**   **die Nacht**

In meiner Freizeit

das Springseil —
die Springseile

die Murmel —
die Murmeln

das Puzzle —
die Puzzles

die Spielfigur —
die Spielfiguren

das Brettspiel —
die Brettspiele

der Würfel —
die Würfel

der Ball —
die Bälle

---

spielen — er spielt, er spielte, er hat gespielt

Fußball

am Computer

mit einer Puppe

Karten

Theater

Gameboy

Gitarre

Skateboard fahren —
er fährt Skateboard,
er fuhr Skateboard,
er ist Skateboard gefahren

Inliner fahren —
er fährt Inliner,
er fuhr Inliner,
er ist Inliner gefahren

Musik hören —
sie hört Musik,
sie hörte Musik,
sie hat Musik gehört

die Freizeit
Zeit, in der man nicht lernen
oder arbeiten muss
In meiner Freizeit lese ich gern.

der Freund — die Freunde
die Freundin — die Freundinnen
ein Junge oder ein Mädchen, den
du magst und dem du vertraust
Peter ist mein bester Freund.

gemeinsam
zusammen
*Wollen wir gemeinsam am
Computer spielen?*

gewinnen — sie gewinnt, sie gewann,
sie hat gewonnen
am Ende des Spiels der Erste sein
Susi hat heute im Kartenspiel gewonnen.

machen — er macht, er machte,
er hat gemacht
etwas tun; tätig sein
Was machst du gern in deiner Freizeit?

der Mitspieler — die Mitspieler
die Mitspielerin — die Mitspielerinnen
jemand, mit dem man zusammen spielt
Peter ist ein guter Mitspieler.

spannend
aufregend; wenn das Ende nicht
bekannt ist
Das Spiel ist sehr spannend.

Spaß haben — er hat Spaß, er hatte Spaß,
er hat Spaß gehabt
bei einer Tätigkeit viel Freude erleben
Beim Ausflug hatten wir viel Spaß.

Spaß machen — er macht Spaß,
er machte Spaß, er hat Spaß gemacht
• wenn man etwas gerne und mit
Freude macht
Reiten macht mir Spaß.
• wenn jemand lustig ist und andere
zum Lachen bringt
*Das meinte er nicht ernst, er machte
nur Spaß.*

das Spiel — die Spiele
etwas, was Spaß macht, und nach
bestimmten Regeln passiert
*Kennst du das Spiel „Mensch ärgere
dich nicht"?*

das Spielzeug
Sachen, mit denen man spielen kann
Alex hat ganz viel Spielzeug.

sich treffen — sie trifft sich, sie traf sich,
sie hat sich getroffen
mit jemandem eine Uhrzeit ausmachen
und dann zu der Zeit zusammen kommen
*Selina trifft sich mit Aisha, weil sie
zusammen Puppentheater spielen wollen.*

verlieren — er verliert, er verlor,
er hat verloren
am Ende des Spiels der Letzte sein
*Die Jungen hatten kein Glück, sie haben
das Spiel verloren.*

würfeln — er würfelt, er würfelte,
er hat gewürfelt
den Würfel werfen
Ich habe eine Sechs gewürfelt.

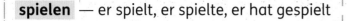

spielen — er spielt, er spielte, er hat gespielt

Basketball

Eishockey

Volleyball

Fußball

Tischtennis

Tennis

Judo machen —
er macht Judo,
er machte Judo,
er hat Judo gemacht

Schlittschuh laufen —
sie läuft Schlittschuh,
sie lief Schlittschuh,
sie ist Schlittschuh gelaufen

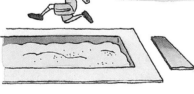

laufen — er läuft,
er lief, er ist gelaufen

springen —
er springt, er sprang,
er hat/ist gesprungen

werfen — sie wirft,
sie warf, sie hat geworfen

die Medaille —
die Medaillen

der Tennisschläger —
die Tennisschläger

die Pfeife —
die Pfeifen

das Trikot — die Trikots

die Enttäuschung — die Enttäuschungen
das Gefühl, wenn jemandem etwas nicht gelingt oder wenn man Pech hat
Alex hat im Spiel verloren. Für ihn war das eine große Enttäuschung.

fair
beim Sport ehrlich sein
Der Schiedsrichter hat den Spieler bestraft, weil er nicht fair spielte.

foulen — er foult, er foulte, er hat gefoult
nicht fair spielen; den Gegner beim Spiel behindern
Tim hat im Spiel oft gefoult.

der Gegner — die Gegner
jemand, gegen den man spielt oder kämpft
Der Gegner war sehr stark und hat gewonnen.

langsam
nicht schnell; in einem niedrigen Tempo
Peter ist langsam gelaufen und hat deshalb das Rennen verloren.

die Mannschaft — die Mannschaften
eine Gruppe von Menschen, die zusammen im Team spielen
Wer spielt in deiner Mannschaft?

der Schiedsrichter — die Schiedsrichter
ein Mensch, der das Spiel beobachtet und darauf achtet, dass die Spieler sich an die Regeln halten
Der Schiedsrichter hat das Foul von Simon nicht gesehen.

schießen — er schießt, er schoss, er hat geschossen
den Ball scharf treffen
Der Junge hat den Ball in die Höhe geschossen.

der Sieger — die Sieger
jemand, der beim Sport gewinnt
Der Sieger dieses Turniers bekommt ein Fahrrad.

der Sport
eine körperliche Tätigkeit, die man nach bestimmten Regeln ausübt
Welchen Sport treibst du?

das Tor — die Tore
• eine Konstruktion mit einem Netz, in die man den Ball schießt
Der Torwart steht im Tor.

• den Ball ins Ziel schießen
Alex hat im Spiel zwei Tore geschossen.

das Training — die Trainings
regelmäßiges Üben, damit man sich verbessert
Er geht dreimal in der Woche zum Basketball-Training.

Körper und Gesundheit

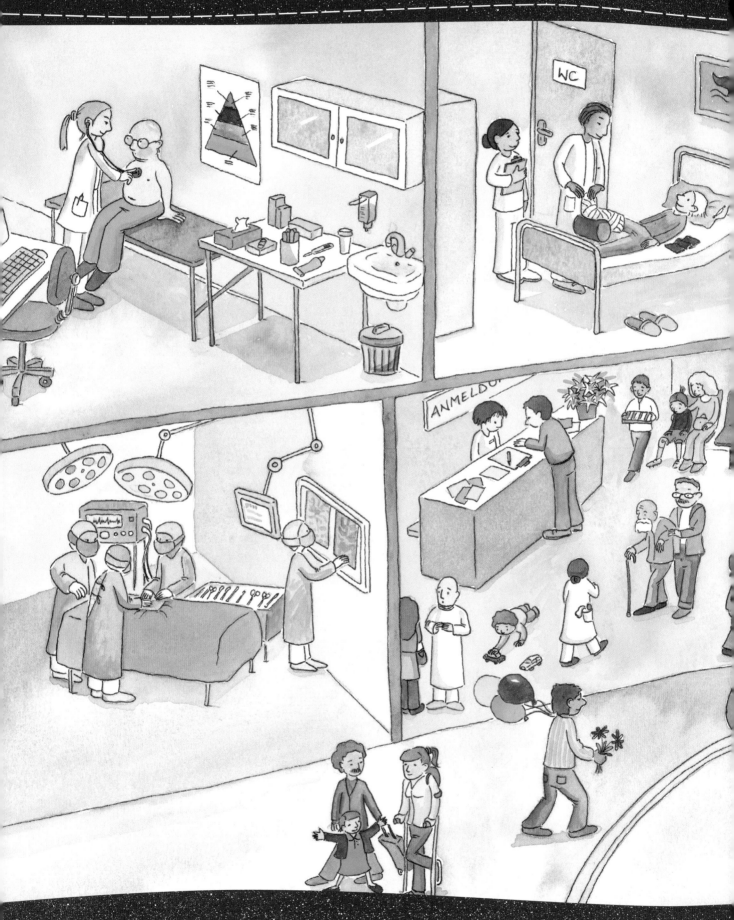

KLINIK

Mein Körper

der **Körper** — die Körper

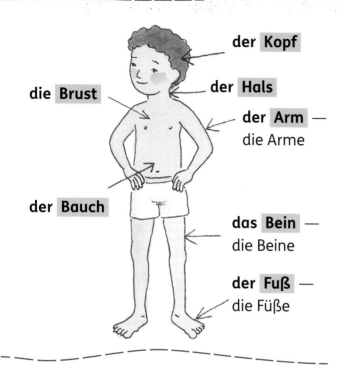

der **Kopf**

der **Hals**

die **Brust**

der **Arm** — die Arme

der **Bauch**

das **Bein** — die Beine

der **Fuß** — die Füße

die **Schulter** — die Schultern

der **Rücken**

der **Po**

!

die **Brust** — die Brüste
ein Körperteil bei Frauen,
aus dem Babys Milch trinken

frieren — er friert,
er fror, er hat gefroren

schwitzen — sie schwitzt,
sie schwitzte, sie hat geschwitzt

zittern — sie zittert,
sie zitterte, sie hat gezittert

die **Hand** — die Hände

der **Zeigefinger** — die Zeigefinger

der **Mittelfinger** — die Mittelfinger

der **Ringfinger** — die Ringfinger

der **Daumen** — die Daumen

der **kleine Finger** — die kleinen Finger

der **Fingerabdruck** — die Fingerabdrücke

atmen — er atmet, er atmete, er hat geatmet

mit der Nase oder mit dem Mund Luft holen

Wenn man Schnupfen hat, kann man schwer atmen.

behindert

man kann geistig oder körperlich nicht alles machen wie andere Menschen

Mein Onkel ist seit einem Autounfall behindert – er sitzt im Rollstuhl.

sich bewegen — er bewegt sich, er bewegte sich, er hat sich bewegt

nicht stillstehen, sondern gehen, fahren oder anders mobil sein

Die Kinder können sich schnell bewegen.

erschöpft

müde sein; keine Kraft mehr haben

Helga ist nach der langen Wanderung erschöpft.

fit

• gesund sein

Ich war krank, aber jetzt bin ich wieder fit.

• trainiert; in Form sein

Alex ist fit. Er macht jeden Tag Sport.

die Haut

Der menschliche Körper ist mit Haut bedeckt.

Deine Haut ist sehr trocken, creme dich ein.

kräftig

stark, gesund

Unser Sportlehrer ist kräftig.

der Muskel — die Muskeln

zum Beispiel ein Teil der Beine oder Arme, der den Körper beweglich macht

Weil der Sportler täglich trainierte, hat er große Muskeln bekommen.

nicken — sie nickt, sie nickte, sie hat genickt

bei einem „ja" mit dem Kopf eine Bewegung nach vorne machen

Petra nickte, weil sie mit dem Vorschlag einverstanden war.

der Rollstuhlfahrer — die Rollstuhlfahrer

eine Person, die körperlich behindert ist und deshalb im Rollstuhl sitzt

Für die Rollstuhlfahrer gibt es hier einen besonderen Eingang.

schwach — schwächer, am schwächsten

ohne Kraft

Marlene fühlt sich nach langer Krankheit immer noch schwach.

die Zehe — die Zehen

Finger am Fuß

Mir tut meine große Zehe weh.

Die Sinne

hören — er hört, er hörte, er hat gehört

das Ohr — die Ohren

laut

leise

schmecken — er schmeckt, er schmeckte, er hat geschmeckt

fühlen — er fühlt, er fühlte, er hat gefühlt

die Zunge — die Zungen

riechen — er riecht, er roch, er hat gerochen

die Nase — die Nasen

duften — sie duftet, sie duftete, sie hat geduftet

stinken — er stinkt, er stank, er hat gestunken

sehen — er sieht, er sah, er hat gesehen

die Augenbraue — die Augenbrauen

die Wimper — die Wimpern

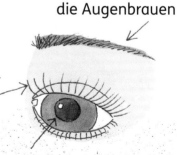

die Brille — die Brillen

das Auge — die Augen

blind
nicht sehen können
*Menschen, die blind sind, laufen
mit einem weißen Stock.*

die Blindenschrift
eine besondere Schrift für blinde
Menschen
*Bei der Blindenschrift muss man
die Buchstaben fühlen.*

fühlen — er fühlt, er fühlte, er hat gefühlt
durch tasten oder berühren etwas spüren
*Was hast du in deiner Tasche? Ich kann
dort etwas Spitzes fühlen.*

das Geräusch — die Geräusche
alles, was man hören kann
*Was war das? Hast du das Geräusch auch
gehört?*

der Geruch — die Gerüche
das, was man mit der Nase riecht
Den Geruch von Zwiebeln mag ich nicht.

der Geschmack
das, was man mit der Zunge wahrnimmt
*Dieser Kuchen hat keinen Geschmack.
Hier fehlt Zucker.*

scharf — schärfer, am schärfsten
• einen Geschmack haben,
so dass es im Mund brennt
Dieser Paprika schmeckt scharf.
• etwas klar und deutlich sehen
*Mit der Brille kann ich es ganz
scharf sehen.*

schmecken — sie schmeckt,
sie schmeckte, sie hat geschmeckt
• mit der Zunge wahrnehmen
*Was schmeckst du in dem Kuchen? –
Ich glaube Zimt und Mandeln.*
• einen Geschmack haben
Die Suppe schmeckt nach Knoblauch.

der Sinn — die Sinne
verschiedene Arten, wie man etwas
wahrnimmt
*Die fünf Sinne des Menschen sind Sehen,
Hören, Schmecken, Riechen und Fühlen.*

stumm
wenn jemand nicht sprechen kann
*Die Menschen, die stumm sind,
haben eine besondere Sprache –
die Gebärdensprache.*

taub
wenn jemand nicht hören kann
Mit 70 Jahren ist mein Opa taub geworden.

Wie schmeckt es?
süß / sauer / salzig / bitter / scharf

Körperpflege und Hygiene

die Badewanne —
die Badewannen

die Dusche
— die Duschen

das Waschbecken —
die Waschbecken

die Toilette —
die Toiletten

das Handtuch —
die Handtücher

der Föhn —
die Föhne

das Shampoo —
die Shampoos

die Zahnpasta —
die Zahnpasten

die Zahnbürste —
die Zahnbürsten

der Kamm —
die Kämme

die Seife —
die Seifen

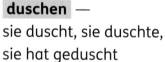

duschen —
sie duscht, sie duschte,
sie hat geduscht

sich waschen —
er wäscht sich,
er wusch sich,
er hat sich gewaschen

baden —
er badet, er badete,
er hat gebadet

sich die Zähne putzen —
er putzt sich die Zähne,
er putzte sich die Zähne,
er hat sich die Zähne geputzt

!

Hände / Haare / Gesicht / Füße waschen

der Zahn — die Zähne

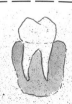

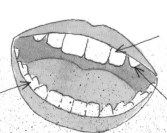

der Schneidezahn

der Backenzahn

der Eckzahn

46

abtrocknen — sie trocknet ab,
sie trocknete ab, sie hat abgetrocknet
>mit einem Tuch etwas trocken machen
>*Nach dem Baden trocknete die Mutter das Kind ab.*

bohren — er bohrt, er bohrte,
er hat gebohrt
>mit einem Gerät ein Loch machen
>*Ich hatte Karies und deshalb musste der Zahnarzt bohren.*

der Fingernagel — die Fingernägel
>eine harte Fläche am Ende von Fingern
>*Susi hat ihre Fingernägel geschnitten.*

föhnen — er föhnt, er föhnte,
er hat geföhnt
>nasse Haare mit einem Föhn trocken machen
>*Hast du deine Haare geföhnt? Sie sind schon trocken!*

die Karies
>eine kranke Stelle am Zahn
>*Hast Du schon mal eine Karies gehabt?*

der Milchzahn — die Milchzähne
>die ersten Zähne, die nach etwa sechs Jahren ausfallen
>*Der kleine Nico hat mit 8 Monaten seinen ersten Milchzahn bekommen.*

nass
>etwas oder jemand, an dem viel Wasser ist
>*Peter stand unter der Dusche und jetzt sind seine Haare nass.*

pflegen — sie pflegt, sie pflegte,
sie hat gepflegt
>sich um etwas kümmern, damit es in Ordnung bleibt
>*Du musst deine Zähne richtig pflegen, damit sie nicht krank werden.*

sich rasieren — er rasiert sich,
er rasierte sich, er hat sich rasiert
>Haare am Körper mit einem Gerät abmachen
>*Mein Vater rasiert sich jeden Morgen.*

sauber
>nicht schmutzig; rein
>*Ich habe meine Hände gewaschen, sie sind jetzt sauber.*

schmutzig
>dreckig
>*Geh deine Hände waschen, sie sind schmutzig.*

der Zahnarzt — die Zahnärzte
die Zahnärztin — die Zahnärztinnen
>Arzt, der Zähne behandelt
>*Vor Zahnärzten habe ich große Angst.*

Gesundheit und Krankheiten

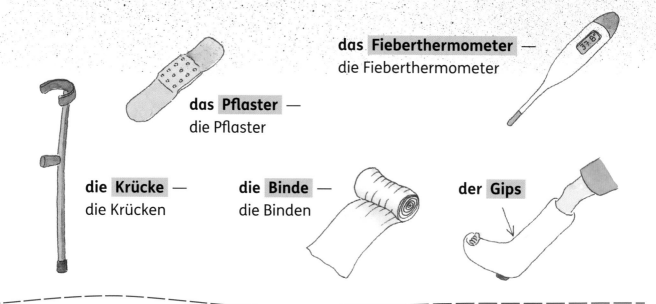

das Fieberthermometer —
die Fieberthermometer

das Pflaster —
die Pflaster

die Krücke —
die Krücken

die Binde —
die Binden

der Gips

bluten — er blutet,
er blutete, er hat geblutet

niesen — er niest,
er nieste, er hat geniest

husten — sie hustet,
sie hustete, sie hat gehustet

das Skelett — die Skelette

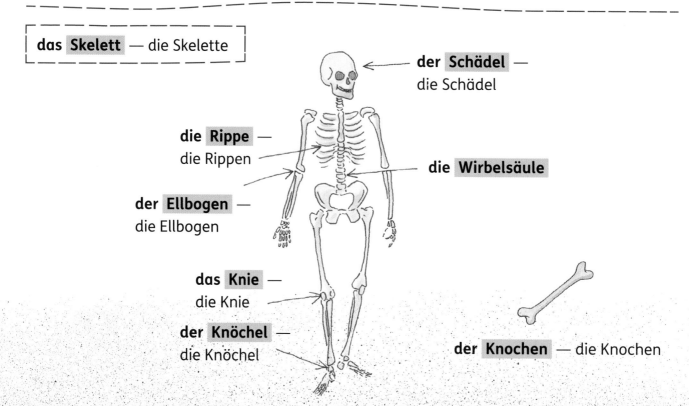

der Schädel —
die Schädel

die Rippe —
die Rippen

die Wirbelsäule

der Ellbogen —
die Ellbogen

das Knie —
die Knie

der Knöchel —
die Knöchel

der Knochen — die Knochen

sich erkälten — er erkältet sich,
er erkältete sich, er hat sich erkältet
> Schnupfen, Husten und Halsschmerzen
> bekommen
> *Klaus hat sich beim Schwimmen erkältet.*

das Fieber — die Fieber
> hohe Körpertemperatur
> *Alex liegt im Bett. Er hat 39 Grad Fieber.*

gesund — gesünder, am gesündesten
> nicht krank sein
> *Christian war eine Woche krank, aber
> jetzt ist er wieder gesund.*

die Grippe
> eine Viruskrankheit mit hohem Fieber
> und Kopfschmerzen
> *Ich habe Grippe bekommen und kann
> deshalb nicht zur Oma fahren.*

krank
> sich nicht wohl fühlen
> *Ich glaube, Uwe ist krank. Er ist schwach
> und hat Fieber.*

die Krankheit — die Krankheiten
> Wenn dein Körper nicht gesund ist
> oder wenn du Schmerzen spürst, hast
> du eine Krankheit bekommen.
> *Grippe, Lungenentzündung und Angina
> sind Krankheiten.*

der Schmerz — die Schmerzen
> ein unangenehmes Gefühl, das man
> spürt, wenn man verletzt oder krank ist
> *Ich habe Bauchschmerzen.*

der Schnupfen
> wenn die Nase bei einer Erkältung läuft
> und man nicht gut atmen kann
> *Bei diesem Wetter bekommen viele
> Menschen Schnupfen.*

verbinden — er verbindet, er verband,
er hat verbunden
> etwas mit einem Tuch oder einer
> Binde umwickeln
> *Der Arzt hat mir den verletzten
> Arm verbunden.*

verletzt
> eine Wunde am Körper haben
> *Peter ist verletzt – er ist beim Skifahren
> gestürzt und muss jetzt mit Krücken laufen.*

wehtun — er tut weh, er tat weh,
er hat wehgetan
> Wenn dir etwas wehtut, spürst
> du Schmerzen.
> *Mir tut mein Knie weh.*

die Wunde — die Wunden
> eine Stelle an der Haut, die krank
> oder verletzt ist
> *Peter hat eine tiefe Wunde. Sie blutet.*

> **!**
>
> **Welche Schmerzen kann man haben?**
> Bauchschmerzen, Kopfschmerzen,
> Zahnschmerzen, Halsschmerzen

Beim Arzt

die Spritze —
die Spritzen

der Arzt —
die Ärzte

die Ärztin —
die Ärztinnen

der Krankenwagen —
die Krankenwagen

das Stethoskop —
die Stethoskope

der Krankenpfleger —
die Krankenpfleger

die Krankenschwester —
die Krankenschwestern

---

die Medizin

die Tablette —
die Tabletten

die Tropfen
(Plural)

die Salbe — die Salben

---

das Organ — die Organe

das Gehirn

die Lunge

das Herz

der Magen

die Leber

die Niere — die Nieren

der Darm

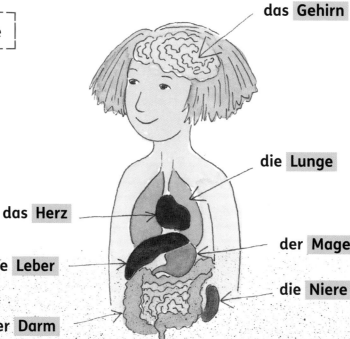

das Blut
rote Flüssigkeit im Körper
*Die Krankenschwester nimmt dem
Patienten Blut ab.*

entzündet
wenn eine Stelle am Körper rot und
oft auch dick wird und wehtut
*Mein Hals ist entzündet, ich muss
zum Arzt gehen.*

helfen — er hilft, er half, er hat geholfen
für jemanden etwas tun, der in Not ist
*Alten und behinderten Menschen sollte
man immer helfen.*

impfen — sie impft, sie impfte,
sie hat geimpft
jemandem eine Spritze geben, die ihn
vor einer Krankheit schützen sollen
*Kleine Kinder werden gegen Tuberkulose
geimpft.*

das Krankenhaus — die Krankenhäuser
ein Haus, in dem Ärzte und Krankenschwestern arbeiten und kranke
Menschen pflegen
*Max liegt im Krankenhaus, weil er sich
das Bein gebrochen hat.*

die Operation — die Operationen
wenn Ärzte einen Patienten unter
Narkose behandeln
*Der Patient war nach der Operation
noch sehr schwach.*

der Patient — die Patienten
ein kranker Mensch beim Arzt oder
im Krankenhaus
Die Patienten warten im Wartezimmer.

das Rezept — die Rezepte
ein Zettel, auf dem der Arzt verschreibt,
welche Medikamente man nehmen soll
*Manche Medikamente kann man nur
auf Rezept kaufen.*

das Sprechzimmer — die Sprechzimmer
ein Raum, in dem ein Arzt seine Patienten untersucht
*Aus dem Sprechzimmer konnte man das
Weinen eines Kindes hören.*

untersuchen — sie untersucht,
sie untersuchte, sie hat untersucht
einen Körper genau ansehen und abtas-
ten, damit man die Krankheit feststellt
Die Ärztin hat den Patienten untersucht.

sich verletzen — er verletzt sich,
er verletzte sich, er hat sich verletzt
eine Stelle am Körper beschädigen
*Frank hat sich beim Basketballspiel
verletzt. Sein Bein ist jetzt ganz dick.*

verschreiben — er verschreibt,
er verschrieb, er hat verschrieben
wenn ein Arzt bestimmt, welche Medizin
man nehmen soll
*Der Arzt hat meinem Bruder Tropfen
gegen Husten verschrieben.*

das Wartezimmer — die Wartezimmer
Raum, wo Patienten warten
Im Wartezimmer sind viele kranke Kinder.

Die menschliche Entwicklung

die Jugendliche —
die Jugendlichen

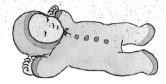

das Baby — die Babys

das Kind —
die Kinder

der Jugendliche —
die Jugendlichen

die Erwachsene —
die Erwachsenen

der Erwachsene —
die Erwachsenen

der Rentner —
die Rentner

die Rentnerin —
die Rentnerinnen

Was macht ein Kind ab ...?

0 Monaten

saugen —
er saugt, er saugte,
er hat gesaugt

4 Monaten

Zähne bekommen —
er bekommt Zähne, er bekam
Zähne, er hat Zähne bekommen

8 Monaten

krabbeln —
er krabbelt, er krabbelte,
er ist gekrabbelt

12 Monaten

laufen —
er läuft, er lief,
er ist gelaufen

14 Monaten

sprechen —
er spricht, er sprach,
er hat gesprochen

5 Jahren

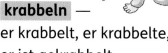

Fahrrad fahren —
er fährt Fahrrad, er fuhr Fahrrad,
er ist Fahrrad gefahren

sich entwickeln — er entwickelt sich, er entwickelte sich, er hat sich entwickelt

über längere Zeit zu etwas werden; sich verändern

Der Junge hat sich zu einem hübschen jungen Mann entwickelt.

die Entwicklung — die Entwicklungen

der Prozess, bei dem sich jemand oder etwas verändert

Die Entwicklung des Babys im Bauch der Mutter dauert fast zehn Monate.

die Geburt

der Prozess, bei dem ein Kind zur Welt kommt

Nach der Geburt wog ich 3200 g.

die Jugend

Zeit zwischen Kindheit und Erwachsensein

In der Jugend war mein Opa ein erfolgreicher Sportler.

ein Kind bekommen — sie bekommt ein Kind, sie bekam ein Kind, sie hat ein Kind bekommen

ein Kind zur Welt bringen

Meine Tante bekommt im Mai ein Kind.

die Kindheit

Zeit, in der man ein Kind ist

Die Kindheit beginnt mit der Geburt und endet, wenn man etwa 12 Jahre alt ist.

die Pubertät

die Zeit, in der sich der Körper verändert und aus einem Kind ein Erwachsener wird

Meine Tochter ist gerade in der Pubertät.

schwanger

wenn eine Frau ein Kind erwartet

Petras Mutti ist schwanger. Sie bekommt bald ein Baby.

sterben — er stirbt, er starb, er ist gestorben

aufhören zu leben

Mein Opa lebt nicht mehr, er starb vor einem Jahr.

tot

jemand, der nicht mehr lebt

Meine Oma ist schon seit drei Jahren tot.

sich verändern — er verändert sich, er veränderte sich, er hat sich verändert

jemand oder etwas wird anders

Thomas hat sich sehr verändert. Er ist jetzt viel schlanker geworden.

verschieden

unterschiedlich; nicht gleich sein

Wir sind so verschieden – du hast braune Haare und eine Brille und ich habe blonde lockige Haare.

wachsen — er wächst, er wuchs, er ist gewachsen

größer werden

Peter ist in einem Jahr 10 cm gewachsen.

Zu Hause

54

Meine Familie

der **Vater** —
die Väter

der **Sohn** —
die Söhne

die **Tochter** —
die Töchter

die **Mutter** —
die Mütter

die **Familie** — die Familien

> **!**
>
> Schwester + Bruder =
> **die Geschwister** (Plural)
> Mutter + Vater = **die Eltern** (Plural)
> Großmutter + Großvater =
> **die Großeltern** (Plural)
>
> **Man sagt auch:**
> Mutter = Mama, Mutti
> Vater = Papa, Vati
> Großmutter = Oma, Omi
> Großvater = Opa, Opi

der **Großvater** —
die Großväter

die **Großmutter** —
die Großmütter

der **Onkel** —
die Onkel

die **Tante** —
die Tanten

der **Vater** —
die Väter

die **Mutter** —
die Mütter

die **Schwester** —
die Schwestern

der **Bruder** —
die Brüder

die **Cousine** —
die Cousinen

der **Cousin** —
die Cousins

allein
   ohne andere Menschen
   Gehst du allein zu Resis Party oder
   nimmst du deine Schwester mit?

die Braut
   eine Frau, die heiratet
   Die Braut hat ein weißes Kleid getragen.

der Bräutigam
   ein Mann, der heiratet
   Der Bräutigam trug
   einen schwarzen Anzug.

das Einzelkind — die Einzelkinder
   ein Kind, das keine Geschwister hat
   Tina ist ein Einzelkind. Sie wünscht sich
   eine Schwester.

erwachsen
   wenn man 18 Jahre oder älter ist
   Mein großer Bruder ist schon erwachsen.

erziehen — er erzieht, er erzog,
er hat erzogen
   einem Kind beibringen, was richtig ist
   Ein Kind zu erziehen, ist eine schwierige
   Aufgabe.

geschieden
   nicht mehr verheiratet sein
   Michas Eltern sind geschieden. Sie leben
   nicht mehr zusammen.

heiraten — er heiratet, er heiratete,
er hat geheiratet
   einen Vertrag machen, dass man
   zusammen leben will
   Meine Eltern haben 1999 geheiratet.

leben — sie lebt, sie lebte, sie hat gelebt
   lebendig sein
   Meine Uroma lebt noch. Sie ist schon 90.

der Stiefbruder — die Stiefbrüder
die Stiefschwester — die Stiefschwestern
   wenn deine Mutter oder dein Vater
   einen neuen Mann oder eine neue Frau
   heiratet und diese Person Kinder hat
   Kai ist mein Stiefbruder. Seine Mutter und
   mein Vater haben letztes Jahr geheiratet.

verheiratet
   wenn man geheiratet hat
   Ilse lebt mit ihrem Freund zusammen,
   aber sie sind nicht verheiratet.

verwandt
   Verwandt ist man mit allen Menschen,
   die zur Familie gehören.
   Ich bin mit Frau Konrad verwandt.
   Sie ist eine Cousine von meiner Mutter.

zusammen
   mit anderen Menschen; nicht allein
   Jan wohnt mit Uli und Fred zusammen.

der Zwilling — die Zwillinge
   Geschwister, die am gleichen Tag geboren sind und oft sehr ähnlich aussehen
   Ralf und Tim sind Zwillinge. Man kann sie
   kaum unterscheiden.

Das Haus

das **Haus** — die Häuser

das **Einfamilienhaus** —
die Einfamilienhäuser

das **Reihenhaus** —
die Reihenhäuser

das **Hochhaus** —
die Hochhäuser

der **Schornstein** —
die Schornsteine

das **Dach** —
die Dächer

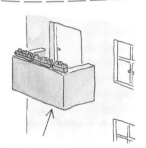

der **Balkon** —
die Balkone / die Balkons

das **Fenster** —
die Fenster

die **Tür** —
die Türen

der **Schlüssel** —
die Schlüssel

das **Zimmer** — die Zimmer

die **Küche** —
die Küchen

das **Kinderzimmer** —
die Kinderzimmer

das **Wohnzimmer** —
die Wohnzimmer

das **Badezimmer** —
die Badezimmer

das **Schlafzimmer** —
die Schlafzimmer

!

Das sagt man auch:
das Badezimmer = das Bad

58

ausziehen — er zieht aus, er zog aus,
er ist ausgezogen
> seine Wohnung oder sein Haus für
> immer verlassen
> *Gestern sind unsere Nachbarn ausge-*
> *zogen. Sie haben 10 Jahre neben uns*
> *gewohnt.*

einrichten — er richtet ein, er richtete ein,
er hat eingerichtet
> Möbel und andere Dinge in eine
> Wohnung stellen
> *Du hast deine Wohnung aber schön*
> *eingerichtet!*

einziehen — er zieht ein, er zog ein,
er ist eingezogen
> neu in eine Wohnung oder ein Haus
> kommen und dann dort wohnen
> *Wir sind im Sommer in das neue Haus*
> *eingezogen.*

der Keller — die Keller
> Zimmer in einem Haus, die unter der
> Erde liegen und in denen man Lebens-
> mittel, Fahrräder und andere Sachen
> lagert
> *In unserem Keller stehen viele*
> *Flaschen Wein.*

mieten — sie mietet, sie mietete,
sie hat gemietet
> eine Wohnung nicht kaufen, sondern
> jeden Monat etwas Geld dafür bezahlen
> *Meine Eltern wollen für uns eine größere*
> *Wohnung mieten.*

der Nachbar — die Nachbarn
die Nachbarin — die Nachbarinnen
> Menschen, die in einer Wohnung oder
> in einem Haus neben dir wohnen
> *Unsere Nachbarn sind sehr nett.*

obdachlos
> wenn man kein Zuhause hat
> *In unserer Stadt sind einige Menschen*
> *obdachlos. Sie leben auf der Straße.*

die Treppe — die Treppen
> darüber kommt man an einen
> höheren Ort
> *Felix rannte die Treppe hinauf.*

umziehen — er zieht um, er zog um,
er ist umgezogen
> aus einer Wohnung oder einem Haus
> ausziehen und woanders einziehen
> *Wir sind schon dreimal umgezogen.*
> *Erst haben wir in Berlin gewohnt, dann*
> *in Dresden und jetzt in Hamburg.*

wohnen — sie wohnt, sie wohnte,
sie hat gewohnt
> längere Zeit an einem Ort leben
> *Wo wohnst du? – In der Nähe vom Zoo.*

die Wohnung — die Wohnungen
> mehrere Zimmer in einem Haus,
> die man mieten oder kaufen kann,
> um darin zu leben
> *In diesem Haus gibt es fünf Wohnungen.*

zu Hause sein – nach Hause gehen

Im Kinderzimmer

der Stuhl —
die Stühle

der Schreibtisch —
die Schreibtische

die Schreibtischlampe —
die Schreibtischlampen

der Papierkorb —
die Papierkörbe

das Kuscheltier —
die Kuscheltiere

das Bett —
die Betten

das Kopfkissen —
die Kopfkissen

die Bettdecke —
die Bettdecken

der Schrank —
die Schränke

Wo sind sie?

Das Bild hängt
an der Wand.

Das Buch liegt
auf dem Tisch.

Der Hund schläft
unter dem Bett.

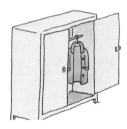

Der Mantel hängt
in dem Schrank.

Die Lampe hängt
über dem Tisch.

Pia steht
neben ihrem Bruder.

Claudia steht
vor dem Spiegel.

Peter versteckt sich
hinter der Tür.

Christian sitzt
links von
seiner Freundin.

Eva sitzt
rechts von
ihrem Freund.

Steffi sitzt **zwischen** Thomas und Max.

aufräumen — er räumt auf, er räumte auf, er hat aufgeräumt
> alle Sachen an ihren Ort tun
> *So eine Unordnung! Du musst mal wieder dein Zimmer aufräumen.*

sich befinden — er befindet sich, er befand sich, er hat sich befunden
> an einem Ort sein
> *Sandras Zimmer befindet sich im dritten Stock.*

hängen — er hängt, er hängte, er hat gehängt
> etwas an der Wand oder Decke anbringen
> *Er hängt die Lampe an die Decke.*

hängen — sie hängt, sie hing, sie hat gehangen
> etwas ist an der Decke oder Wand angebracht
> *Die Lampe hing an der Decke.*

das Kinderzimmer — die Kinderzimmer
> das Zimmer eines Kindes
> *In meinem Kinderzimmer steht ein Aquarium.*

legen — er legt, er legte, er hat gelegt
> eine Sache so an einen Ort tun, dass sie liegt
> *Er legte das Buch auf den Tisch.*

liegen — er liegt, er lag, er hat gelegen
> *Das Buch liegt auf dem Tisch.*

ordentlich
> alle Sachen sind an ihrem Platz
> *Dein Zimmer sieht aber ordentlich aus!*

sich setzen — er setzt sich, er setzte sich, er hat sich gesetzt
> sich so bewegen, dass man sitzt
> *Opa setzt sich immer in den grünen Sessel.*

stehen — er steht, er stand, er hat gestanden
> *Der Globus steht auf dem Schrank.*

stellen — sie stellt, sie stellte, sie hat gestellt
> eine Sache so an einen Ort tun, dass sie steht
> *Ich stelle den Globus auf den Schrank.*

!

hängen, liegen, sitzen, stehen
= an einem Ort sein (Wo?)

hängen, legen, setzen, stellen
= etwas an einen anderen Ort tun (Wohin?)

Was steht? – Bett, Schrank, Tisch
Was liegt? – Decke, Kopfkissen, Teppich
Was hängt? – Lampe, Poster, Bild

Im Wohnzimmer

die **Möbel** (Plural)

das **Sofa** — die Sofas /
die **Couch** — die Couchs

der **Tisch** — die Tische

der **Sessel** — die Sessel

der **Stuhl** —
die Stühle

der **Vorhang** —
die Vorhänge

die **Gardine** —
die Gardinen

das **Regal** —
die Regale

der **Teppich** —
die Teppiche

das **Bild** —
die Bilder

die **Vase** —
die Vasen

die **Zimmerpflanze** —
die Zimmerpflanzen

die **Stehlampe** —
die Stehlampen

die **Stereoanlage** —
die Stereoanlagen

der **DVD-Player** —
die DVD-Player

der **Fernseher** —
die Fernseher

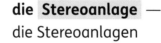

fernsehen —
er sieht fern, er sah fern,
er hat ferngesehen

Blumen gießen —
sie gießt Blumen, sie goss Blumen,
sie hat Blumen gegossen

telefonieren —
er telefoniert, er telefonierte,
er hat telefoniert

anmachen — er macht an, er machte an, er hat angemacht

eine Lampe oder ein Gerät einschalten
Mach das Licht an, es ist schon dunkel draußen.

ausmachen — er macht aus, er machte aus, er hat ausgemacht

eine Lampe oder ein Gerät ausschalten
Mach jetzt das Radio aus und schlaf!

sich ausruhen — sie ruht sich aus, sie ruhte sich aus, sie hat sich ausgeruht

sich nach der Arbeit hinsetzen oder hinlegen und nichts tun
Das war ein anstrengender Tag, ich muss mich zuerst ein bisschen ausruhen.

bequem

Ein Sessel, in dem man gut sitzt, ist bequem.
Das neue Sofa ist sehr bequem. Ich könnte den ganzen Tag darauf sitzen.

besuchen — er besucht, er besuchte, er hat besucht

zu jemandem nach Hause gehen
Morgen Nachmittag werde ich Peter besuchen.

der Couchtisch — die Couchtische

ein niedriger Tisch, der vor dem Sofa steht
Die Fernbedienung liegt auf dem Couchtisch.

die Fernbedienung — die Fernbedienungen

Mit der Fernbedienung kann man den Fernseher vom Sofa aus an- und ausmachen.
Gib mir die Fernbedienung, ich will den Fernseher lauter stellen.

gemütlich

ein Zimmer, in dem man sich wohl fühlt und in dem man gerne ist
Ich sitze mit meinen Freunden am liebsten in der Küche, dort ist es am gemütlichsten.

neu

etwas, das vorher noch nicht da war oder anders war oder das gerade erst produziert wurde
Gestern haben wir ein neues Regal gekauft. Das alte war zu klein.

die Schrankwand

eine Kombination aus Regal und Schrank
Meine Eltern haben gestern eine neue Schrankwand gekauft.

sich unterhalten — sie unterhält sich, sie unterhielt sich, sie hat sich unterhalten

mit jemandem länger über etwas sprechen
Tina und Uli haben sich gestern zwei Stunden über den Film unterhalten.

In der Küche

das **Besteck**

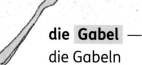

die Gabel —
die Gabeln

das Messer —
die Messer

der Löffel —
die Löffel

das **Geschirr**

der Teller — die Teller

das Glas —
die Gläser

die Kanne —
die Kannen

die Tasse —
die Tassen

der Topf —
die Töpfe

die Schüssel —
die Schüsseln

die Pfanne —
die Pfannen

der Deckel —
die Deckel

der Herd — die Herde

der Backofen —
die Backöfen

die Spüle — die Spülen

abwaschen —
er wäscht ab, er wusch ab,
er hat abgewaschen

abtrocknen —
sie trocknet ab, sie trocknete ab,
sie hat abgetrocknet

kochen —
er kocht, er kochte,
er hat gekocht

64

backen — sie bäckt, sie backte,
sie hat gebacken
> Kuchen oder Brot in einem Backofen
> machen
> *Zu Weihnachten bäckt meine Mutter*
> *ganz viele Plätzchen.*

braten — er brät, er briet, er hat gebraten
> etwas in einer Pfanne heiß machen
> *Heute Mittag habe ich mir ein Spiegelei*
> *gebraten.*

frisch
> Lebensmittel, die ganz neu sind
> *Das Brot ist ganz frisch, Oma hat es*
> *heute erst gebacken.*

gefroren
> Lebensmittel, die sehr kalt (-7 °C)
> und hart sind
> *Der Spinat ist noch gefroren, er lag*
> *im Gefrierschrank.*

der Geschirrspüler — die Geschirrspüler
> ein Gerät, das schmutziges Geschirr
> sauber macht
> *Räum bitte den Geschirrspüler aus,*
> *das Geschirr ist schon sauber.*

der Kühlschrank — die Kühlschränke
> ein Schrank, in dem es kalt ist und in
> den man bestimmte Lebensmittel tut
> *Tina räumt Wurst, Käse und Joghurt*
> *in den Kühlschrank.*

scharf — schärfer, am schärfsten
> • ein Messer, das gut schneidet
> *Pass auf, dass du dich nicht schneidest,*
> *das Messer ist sehr scharf!*
> • Essen, das sehr stark gewürzt ist
> *Diese Pfeffersoße ist sehr scharf.*

den Tisch abräumen —
er räumt den Tisch ab, er räumte den Tisch
ab, er hat den Tisch abgeräumt
> nach dem Essen das schmutzige Geschirr
> vom Tisch nehmen
> *Wenn alle satt sind, können wir ja den*
> *Tisch abräumen und Karten spielen.*

den Tisch decken — er deckt den Tisch,
er deckte den Tisch, er hat den Tisch gedeckt
> Essen und Geschirr für eine Mahlzeit
> auf den Tisch stellen
> *Karl, kannst du bitte den Tisch decken?*
> *Wir wollen gleich essen.*

verbrannt
> Wenn man Essen zu lange brät oder
> bäckt, wird es schwarz.
> *Oh je, ich habe den Kuchen im Backofen*
> *vergessen und jetzt ist er ganz verbrannt!*

warm — wärmer, am wärmsten
> höhere, aber immer noch angenehme
> Temperatur haben; nicht kalt
> *Iss die Suppe, solange sie noch warm ist.*

zubereiten — sie bereitet zu,
sie bereitete zu, sie hat zubereitet
> Essen machen
> *Sonntags bereitet unsere Familie das Mit-*
> *tagessen immer gemeinsam zu.*

65

Einkaufen

Das Obst

die Ananas —
die Ananas / Ananasse

die Aprikose —
die Aprikosen

die Banane —
die Bananen

die Birne —
die Birnen

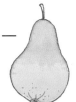

die Erdbeere —
die Erdbeeren

die Kirsche —
die Kirschen

die Kiwi — die Kiwis

die Orange — die Orangen /
die Apfelsine — die Apfelsinen

die Pflaume —
die Pflaumen

die Weintrauben (Plural)

der Pfirsich — die Pfirsiche

die Wassermelone —
die Wassermelonen

die Zitrone — die Zitronen

der Apfel — die Äpfel

die Schale —
die Schalen

der Stiel —
die Stiele

das Fruchtfleisch

das Kerngehäuse

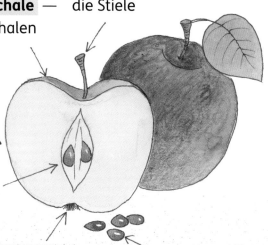

der Blütenansatz

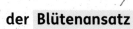

der Kern — die Kerne

auspressen — er presst aus,
er presste aus, er hat ausgepresst
> stark drücken, damit man den Saft
> aus der Frucht bekommt
> *Ich presse die Orange aus und trinke
> den Saft.*

faul
> wenn Obst und Gemüse alt und
> schlecht ist
> *Man darf kein faules Obst essen.*

gesund — gesünder, am gesündesten
- was für den Körper gut ist
  Sport zu machen ist gesund.
- nicht krank sein
  Ich bin wieder gesund.

grün
- eine Farbe, zum Beispiel von Kiwis
- wenn Obst und Gemüse noch nicht
  reif ist
  *Im Juni sind die Äpfel noch grün
  und hart.*

hart — härter, am härtesten
> wenn etwas fest ist und sich nicht
> drücken lässt
> *Nüsse haben eine sehr harte Schale.*

das Obst
> Früchte wie zum Beispiel Äpfel, Bananen,
> Birnen, Pflaumen ...
> *Obst hat viele Vitamine.*

reif
> Obst, das so lange wachsen konnte,
> bis es schmeckt.
> *Pflaumen sind reif, wenn sie weich sind.*

der Saft — die Säfte
> das Wasser von Obst und Gemüse
> *Welchen Saft magst du lieber – Apfelsaft
> oder Orangensaft?*

saftig
> Wenn Obst oder Gemüse viel Wasser hat,
> ist es saftig.
> *Wassermelonen sind sehr saftig,
> Bananen nicht.*

sauer — saurer, am sauersten
> Geschmack wie zum Beispiel
> von Zitronen
> *Ich esse gerne saure Gurken.*

schälen — er schält, er schälte,
er hat geschält
> die Schale von Obst oder Gemüse
> abmachen
> *Ich schäle meinen Apfel nicht,
> ich esse ihn mit Schale.*

süß
> Geschmack wie zum Beispiel
> von Zucker
> *Die Erdbeeren sind süß.*

weich
> Wenn etwas weich ist, kann man es
> leicht drücken.
> *Wenn man Gemüse kocht, wird es weich.*

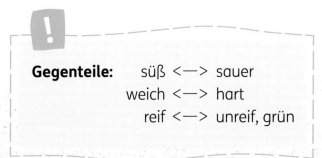

Gegenteile: süß <—> sauer
weich <—> hart
reif <—> unreif, grün

Das Gemüse

die **Bohne** —
die Bohnen

die **Möhre** — die Möhren /
die **Karotte** — die Karotten

der **Blumenkohl**

die **Erbse** —
die Erbsen

der **Salat** —
die Salate

die **Gurke** —
die Gurken

die **Kartoffel** —
die Kartoffeln

die **Tomate** —
die Tomaten

das **Radieschen** —
die Radieschen

der/die **Paprika** —
die Paprikas

das **Radieschen** —
die Radieschen

die **Zucchini** —
die Zucchini

der **Kohlrabi** —
die Kohlrabis

die **Zwiebel** —
die Zwiebeln

So bereitet man Gemüsesalat zu

waschen — er wäscht,
er wusch, er hat gewaschen

schälen — er schält,
er schälte, er hat geschält

schneiden — er schneidet,
er schnitt, er hat geschnitten

würzen — er würzt,
er würzte, er hat gewürzt

umrühren — er rührt um,
er rührte um, er hat umgerührt

essen — er isst, er aß,
er hat gegessen

das Gemüse
zum Beispiel Möhren, Tomaten,
Kartoffeln, Gurken ...
In unserem Garten bauen wir jedes Jahr
viel Gemüse an.

die Hälfte — die Hälften
ein halbes Stück; eine halbe Menge
Kann ich die andere Hälfte vom Apfel
bekommen?

kochen — er kocht, er kochte,
er hat gekocht
Lebensmittel im heißen Wasser
weich werden lassen
Wir kochen heute Kartoffeln mit Gemüse.

kosten — er kostet, er kostete,
er hat gekostet
• probieren, wie etwas schmeckt
Kannst du die Suppe kosten, ob sie zu
salzig ist?
• einen Preis haben
Ein Kilo Tomaten kostet zwei Euro.

die Kräuter (Plural)
Pflanzen, die man zum Würzen nimmt
Salat mit Kräutern schmeckt gut.

lecker
etwas, was gut schmeckt
Tomatensalat finde ich lecker.

reiben — er reibt, er rieb, er hat gerieben
Lebensmittel mit einem
Gerät sehr klein machen
Für Kartoffelpuffer
muss man
Kartoffeln reiben.

roh
Wenn man Gemüse nicht kocht,
ist es roh.
Ich esse Möhren lieber roh als gekocht.

der Salat — die Salate
• eine Gemüsesorte
• eine Mischung aus Obst oder Gemüse
Welchen Salat wollen wir heute essen,
Gurkensalat oder Tomatensalat?

die Scheibe — die Scheiben
schmale runde oder ovale Streifen
Schneide die Gurke in Scheiben!

schmecken — er schmeckt, er schmeckte,
er hat geschmeckt
• Essen gut finden
Schmeckt dir der Kuchen?
• einen bestimmten Geschmack haben
Der Salat schmeckt bitter.

der Würfel — die Würfel
kleine quadratische Stücke
Ich schneide die Möhren in Würfel.

Die Lebensmittel

das Getränk — die Getränke

der Kakao

der Saft —
die Säfte

der Tee

das Mineralwasser

das Gebäck

das Brot —
die Brote

das Brötchen —
die Brötchen

der Kuchen —
die Kuchen

das Toastbrot

die Wurst

die Salami —
die Salamis

der Schinken —
die Schinken

das Würstchen —
die Würstchen

das Milchprodukt — die Milchprodukte

die Butter

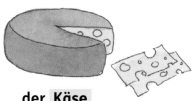

der Käse

der Jogurt

die Milch

die Süßigkeit — die Süßigkeiten

das Eis

der/das Bonbon —
die Bonbons

die Schokolade —
die Schokoladen

der Keks —
die Kekse

72

die Ernährung
 alles, was man isst
 Gesunde Ernährung ist wichtig für den Körper.

essen — er isst, er aß, er hat gegessen
 Lebensmittel zu sich nehmen
 Tim isst gerne Kartoffeln, ich esse lieber Reis.

der Honig
 Produkt von Bienen, das süß schmeckt
 Brötchen mit Honig schmecken lecker.

die Lebensmittel (Plural)
 alles, was wir essen und trinken
 Im Supermarkt kann man viele Lebensmittel kaufen.

die Marmelade — die Marmeladen
 gekochte Mischung aus Obst, die man auf Brot oder Brötchen schmiert
 Ich esse gerne Marmelade aus Erdbeeren und Kirschen.

das Mehl
 gemahlenes Getreide
 Ich brauche Mehl für meinen Kuchen.

naschen — er nascht, er naschte, er hat genascht
 • Süßigkeiten essen
 Meine Mama sagt, ich soll nicht so viel naschen, weil es für die Zähne nicht gesund ist.
 • etwas Leckeres essen, so dass es niemand sieht
 Peter naschte heimlich vom Kuchen.

probieren — sie probiert, sie probierte, sie hat probiert
 testen, ob etwas gut schmeckt
 Ich kenne den Käse nicht, aber ich möchte ihn probieren.

das Salz
 ein bestimmtes Gewürz
 Ich esse mein Ei immer mit Salz.

satt
 wenn man nichts mehr essen will
 Möchtest du noch etwas essen? – Nein, danke, ich bin satt.

trinken — er trinkt, er trank, er hat getrunken
 Getränke zu sich nehmen
 Ich habe Durst und möchte gerne Tee trinken.

der Zucker
 Zucker macht Speisen und Getränke süß.
 Pia trinkt Tee immer ohne Zucker.

Guten Appetit!

die **Speise** — die Speisen

die **Nudel** —
die Nudeln

die **Pommes**
(Plural)

die **Pizza** —
die Pizzen / die Pizzas

das **Hähnchen** —
die Hähnchen

die **Suppe** —
die Suppen

der **Reis**

der **Döner** —
die Döner

der **Fisch** — die Fische

die **Bockwurst** —
die Bockwürste

der **Pudding** —
die Puddings / die Puddinge

Wie viel?

viel — mehr, am meisten

wenig

nichts

der Appetit
Lust auf Essen
Ich habe Appetit auf Schokolade.

auswählen — er wählt aus, er wählte aus, er hat ausgewählt
aus mehreren Sachen etwas aussuchen
Im Restaurant wähle ich aus, was ich essen will.

bestellen — er bestellt, er bestellte, er hat bestellt
einem Kellner sagen, was man essen und trinken möchte
Tim bestellt im Restaurant immer das Gleiche – Schnitzel mit Pommes.

der Durst
unbedingt etwas trinken wollen
Hast du Durst? Möchtest du etwas trinken?

das Fischstäbchen — die Fischstäbchen
Streifen aus Fisch, die gebraten sind
Die meisten Kinder essen gerne Fischstäbchen.

das Gewürz — die Gewürze
Salz, Pfeffer und Kräuter sind Gewürze
Ohne Gewürze schmeckt das Essen nicht.

der Hunger
wenn man unbedingt essen will
Ich habe heute noch nichts gegessen und haben großen Hunger.

der Imbiss — die Imbisse
ein Stand, wo man kleine Speisen kaufen kann
In diesem Imbiss schmeckt die Currywurst am besten.

der Pfeffer
ein sehr scharfes Gewürz
An der Suppe ist zu viel Pfeffer, sie schmeckt mir nicht.

die Portion — die Portionen
die Menge, die man essen will
Papa hat großen Hunger, er bekommt eine große Portion Reis.

das Restaurant — die Restaurants
ein Ort, wo man Speisen und Getränke bestellen kann
Bei Festen essen wir im Restaurant.

die Spagetti (Plural)
eine sehr lange dünne Nudel
Ich liebe Spagetti mit Tomatensoße.

die Speisekarte — die Speisekarten
Liste mit allen Speisen und Getränken, die man im Restaurant bestellen kann
Die Speisekarte ist lang. Ich weiß nicht, was ich essen soll.

!

Das sagt man vor dem Essen:
Guten Appetit!
Lass es dir schmecken!

Im Supermarkt

der Supermarkt — die Supermärkte

die Einkaufstasche — die Einkaufstaschen

das Regal — die Regale

der Einkaufswagen — die Einkaufswagen

die Waage — die Waagen

schieben — er schiebt, er schob, er hat geschoben

wiegen — er wiegt, er wog, er hat gewogen

stehlen — er stiehlt, er stahl, er hat gestohlen

die Verpackung — die Verpackungen

der Becher — die Becher

die Dose — die Dosen

die Flasche — die Flaschen

der Kasten — die Kästen

die Tüte — die Tüten

die Packung — die Packungen

bitten — er bittet, er bat, er hat gebeten
jemanden fragen, ob er helfen oder
etwas machen könnte
Der kleine Tom hat die Verkäuferin
gebeten, ihm die Milch aus dem Regal
zu reichen.

finden — er findet, er fand,
er hat gefunden
• wenn man nach langer Suche etwas
endlich sieht
Ich habe die Schokolade gefunden.
Sie war ganz oben im Regal.
• zufällig etwas sehen
Peter hat auf der Straße fünf Euro
gefunden.

geschlossen
wenn etwas zu ist
Am Sonntag sind die Geschäfte
geschlossen.

das Gewicht
Information, wie schwer etwas ist
Das Gewicht der vier Äpfel beträgt genau
ein Kilo.

halb
etwas ist in genau zwei gleiche
Teile geteilt
Ich möchte nur einen halben Apfel,
einen ganzen schaffe ich nicht.

kaufen — sie kauft, sie kaufte,
sie hat gekauft
jemandem Geld für Sachen geben,
die man behält
Ich kaufe mir heute ein Eis.

der Kunde — die Kunden
die Kundin — die Kundinnen
ein Mensch, der etwas kauft
Die Verkäuferin ist zu ihren Kunden nett.

leicht
wenig Gewicht haben
Eine Packung Kaffee ist leichter als
eine Packung Milch.

nehmen — sie nimmt, sie nahm,
sie hat genommen
etwas von einer Stelle entfernen
Petra nahm zwei Dosen Ananas aus dem
Regal und stellte sie in den Einkaufs-
wagen.

das Pfand
Geld, das man zurückbekommt, wenn
man eine Sache zurückgibt
Tom bekommt für eine leere Flasche
15 Cent Pfand.

schwer
viel Gewicht haben
Die vollen Taschen sind sehr schwer.

der Verkäufer — die Verkäufer
die Verkäuferin — die Verkäuferinnen
Menschen, die in einem Geschäft arbeiten
Der Verkäufer räumt im Supermarkt
die Nudeln ins Regal ein.

das Viertel — die Viertel
vier gleiche Teile von einer Sache
Ich möchte nur ein Viertel von dieser
Melone kaufen.

An der Kasse

das **Geld**

das Portmonee — die Portmonees /
der Geldbeutel — die Geldbeutel

die Münze —
die Münzen

die Kreditkarte —
die Kreditkarten

der Schein — die Scheine

die Schlange —
die Schlangen

die Kasse —
die Kassen

das Preisschild —
die Preisschilder

der Strichcode —
die Strichcodes

der Cent — die Cent

der Euro — die Euro

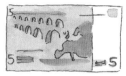

arm — ärmer, am ärmsten
wenn jemand kein oder wenig Geld hat
In Afrika leben viele arme Leute.

der Betrag — die Beträge
eine bestimmte Menge Geld
*Unsere Familie hat für das Haus
einen hohen Betrag bezahlt.*

betteln — er bettelt, er bettelte,
er hat gebettelt
andere Menschen um Geld bitten
Der Mann bettelt, weil er kein Geld hat.

bezahlen — sie bezahlt, sie bezahlte,
sie hat bezahlt
Geld für Produkte und Dienstleistungen
ausgeben
Hast du das Eis schon bezahlt?

billig
wenn etwas wenig Geld kostet
*Bananen sind heute sehr billig, sie kosten
nur einen Euro pro Kilo.*

sich borgen — er borgt sich, er borgte sich,
er hat sich geborgt
jemanden um etwas bitten, was man
später wieder zurückgibt
*Tom hat sein Portmonee vergessen, des-
halb muss er sich Geld von Klaus borgen.*

kosten — er kostet, er kostete,
er hat gekostet
Information, wie viel Geld man für
ein Produkt oder eine Dienstleistung
bezahlen muss
Was kostet das weiße T-Shirt?

der Preis — die Preise
Der Preis sagt, wie teuer etwas ist.
Der Preis für ein Brot beträgt 2 Euro.

sparsam
jemand, der nur Sachen kauft, die er
wirklich braucht oder die billig sind
*Meine Oma ist sparsam. Sie kauft nie
teure Sachen.*

das Taschengeld
Geld, das Kinder von ihren Eltern
bekommen
*Ich bekomme jede Woche von meiner
Mutter 5 Euro Taschengeld.*

teuer — teurer, am teuersten
wenn etwas viel Geld kostet
*Die Kaugummis sind aber teuer, sie
kosten über 2 Euro.*

umsonst
wenn etwas kein Geld kostet; kostenlos
*Die Tüte darfst du mitnehmen, sie ist
umsonst.*

wechseln — er wechselt, er wechselte,
er hat gewechselt
eine Sache für eine andere tauschen
*Kannst du meine 2 Euro wechseln?
Ich möchte zwei 1-Euro-Münzen.*

Die Kleidung

die Jeans —
die Jeans

das T-Shirt —
die T-Shirts

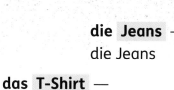

das Hemd —
die Hemden

die Hose —
die Hosen

die Jacke —
die Jacken

die Bluse —
die Blusen

der Pullover —
die Pullover

der Mantel —
die Mäntel

das Unterhemd —
die Unterhemden

der Rock —
die Röcke

die Unterhose —
die Unterhosen

das Kleid —
die Kleider

die Strumpfhose —
die Strumpfhosen

der Schal —
die Schals

die Socke —
die Socken

die Mütze —
die Mützen

der Handschuh —
die Handschuhe

das Muster — die Muster

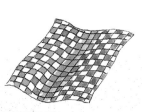

geblümt

gepunktet

gestreift

kariert

anhaben — sie hat an, sie hatte an, sie hat angehabt
Kleidung am Körper tragen
Tina hat heute eine schöne Bluse an.

ausziehen — er zieht aus, er zog aus, er hat ausgezogen
ein Kleidungsstück vom Körper nehmen
Wenn es dir warm ist, dann zieh deinen Pullover aus.

bunt
etwas hat viele Farben
Rebeccas Kleid ist sehr bunt.

dick
Kleidung aus warmem Material
Im Winter muss man dicke Pullover tragen.

der Knopf — die Knöpfe
ein Ding, mit dem man Kleidung zumacht
Lisa ist schon wieder ein Knopf an der Bluse abgerissen.

lang — länger, am längsten
Wenn zum Beispiel deine Hose zu lang ist, trittst du auf sie und kannst deine Füße nicht sehen.
Mein neuer Schal ist sehr lang.

nähen — sie näht, sie nähte, sie hat genäht
Stoff mit einem Faden verbinden
Meine Oma hat mir ein tolles Kleid genäht.

der Reißverschluss — die Reißverschlüsse
damit macht man Hosen und Jacken zu
Oh wie peinlich, der Reißverschluss an meiner Hose ist offen.

der Schuh — die Schuhe
Bekleidung für die Füße
Ich habe mir heute neue Schuhe gekauft. Wie findest du sie?

der Stoff — die Stoffe
Material, aus dem Kleidung hergestellt wird
Der gestreifte Stoff sieht sehr gut aus.

stricken — er strickt, er strickte, er hat gestrickt
aus Wolle ein Kleidungsstück herstellen
Tim strickt einen Schal für seinen Teddy.

tragen — er trägt, er trug, er hat getragen
Kleidung am Körper haben
Am liebsten trage ich Jeans und ein T-Shirt.

!

Anziehen, aufsetzen oder umbinden?

anziehen — er zieht an, er zog an, er hat angezogen
= Hose, T-Shirt, Hemd, Jacke, Socken ...

aufsetzen — er setzt auf, er setzte auf, er hat aufgesetzt
= Mütze, Brille

umbinden — er bindet um, er band um, er hat umgebunden
= Schal, Tuch, Krawatte

In der Stadt

Im Zentrum

das Denkmal — die Denkmäler

die Kirche — die Kirchen

der Marktplatz — die Marktplätze

der Springbrunnen — die Springbrunnen

das Museum — die Museen

die Eisdiele — die Eisdielen

das Restaurant — die Restaurants

das Hotel — die Hotels

das Kino — die Kinos

die Polizei

die Post

der Parkplatz — die Parkplätze

84

die Altstadt — die Altstädte
alter Teil einer Stadt
In der Altstadt stehen viele schöne alte Häuser.

bauen — er baut, er baute, er hat gebaut
ein Haus oder ein Bauwerk aus verschiedenen Materialien machen
In unserer Stadt wird ein neues Kino gebaut.

die Baustelle — die Baustellen
ein Ort, wo etwas gebaut oder renoviert wird
Auf der Baustelle ist der Zutritt verboten.

bummeln — er bummelt, er bummelte, er hat gebummelt
ohne ein Ziel durch die Straßen laufen
Am Wochenende bummeln viele Leute durch die Altstadt.

fotografieren — er fotografiert, er fotografierte, er hat fotografiert
mit einer Kamera Bilder machen
Viele Touristen fotografieren die alte Kirche.

die Fußgängerzone — die Fußgängerzonen
eine Straße, wo keine Autos fahren dürfen
In der Fußgängerzone gibt es viele Geschäfte und Cafés.

das Geschäft — die Geschäfte
ein Laden, in dem man etwas kaufen kann
Die Geschäfte in der Innenstadt haben bis 20 Uhr offen.

hoch — höher, am höchsten
• die Information, wie lang eine Sache vom Boden bis zum oberen Ende ist
Der Schrank ist 180 cm hoch.
• wenn etwas sehr weit nach oben reicht
Der Aussichtsturm ist sehr hoch.

laufen — er läuft, er lief, er ist gelaufen
• rennen; sehr schnell gehen
Wer kann schneller laufen, du oder ich?
• zu Fuß gehen
Laufen wir zu Fuß oder nehmen wir den Bus?

modern
etwas ist mit neuen Ideen gemacht
Ich finde die moderne Kirche schön.

das Rathaus — die Rathäuser
ein Haus, in dem die Stadt verwaltet wird
Unser Rathaus ist das älteste Gebäude der Stadt.

der Tourist — die Touristen
Menschen, die eine Reise machen oder sich eine fremde Stadt anschauen
Nach Berlin kommen Touristen aus der ganzen Welt.

das Zentrum — die Zentren
die Mitte von etwas
Das Theater befindet sich im Stadt-zentrum.

Entschuldigung, wie komme ich ...?

die **Kreuzung** —
die Kreuzungen

die **Haltestelle** —
die Haltestellen

die **Brücke** —
die Brücken

die **Tankstelle** —
die Tankstellen

die **Telefonzelle** —
die Telefonzellen

der **Stadtplan** — die Stadtpläne

die **Richtung** —
die Richtungen

geradeaus

(nach) **links**

(nach) **rechts**

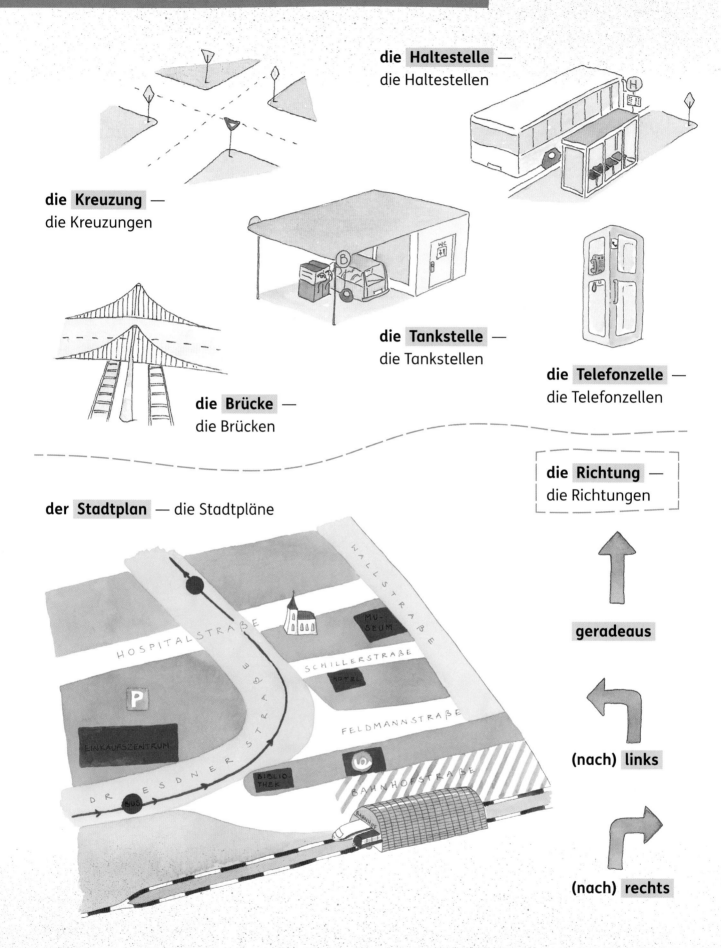

abbiegen — sie biegt ab, sie bog ab, sie ist abgebogen
    die Richtung nach links oder nach rechts wechseln
    An der Kirche musst du rechts abbiegen.

entlang
    immer an der gleichen Seite von etwas gehen oder fahren
    Gehen Sie den Fluss entlang.

fahren — er fährt, er fuhr, er ist gefahren
    sich mit einem Fahrzeug bewegen
    An der Kreuzung musst du links fahren und dann immer geradeaus.

gegenüber
    etwas befindet sich auf der anderen Seite
    Das Theater ist genau gegenüber vom Restaurant.

gehen — er geht, er ging, er ist gegangen
    sich zu Fuß bewegen
    Gehen Sie geradeaus und biegen Sie dann links ab.

nah — näher, am nächsten
    etwas ist nicht weit weg
    Der Sportplatz ist nah bei der Schule.

sich orientieren — er orientiert sich, er orientierte sich, er hat sich orientiert
    sich umschauen und erkennen, wo man ist
    Kannst du dich auf dem Stadtplan orientieren?

sagen — er sagt, er sagte, er hat gesagt
    sprechen; reden
    Können Sie mir bitte sagen, wie ich zum Kino komme?

die Straße — die Straßen
- fester Weg für Fahrzeuge
  Auf dieser Straße sind schon viele Unfälle passiert.
- in Städten und Dörfern eine Häuserzeile, an der entlang ein Weg für Fahrzeuge führt und die einen Namen hat
  Unsere Familie wohnt in der Leipziger Straße.

überqueren — sie überquert, sie überquerte, sie hat überquert
    über eine Straße oder Brücke gehen, um auf die andere Seite zu kommen
    Du musst die Straße überqueren, um zum Kino zu kommen.

der Weg — die Wege
- eine Strecke zwischen zwei Orten
  Tim kennt den Weg zur Schule.
- kleine Straße, auf der man gehen kann
  Im Park gibt es schöne Wege.

weit
- eine bestimmte Entfernung; Distanz
  Wie weit ist es bis zum Bahnhof?
- eine lange Strecke
  Wir haben noch einen weiten Weg vor uns.

nah = in der Nähe
Die Kirche ist ganz nah.
Die Kirche ist in der Nähe.

Der Straßenverkehr

 **das** Verkehrsschild —
die Verkehrsschilder

 **die** Ampel —
die Ampeln

der Unfall —
die Unfälle

 **der** Zebrastreifen —
die Zebrastreifen

 **die** Hauptstraße —
die Hauptstraßen

die Nebenstraße —
die Nebenstraßen

das Fahrzeug — die Fahrzeuge

 **die** Straßenbahn —
die Straßenbahnen

das Auto —
die Autos

 **der** Bus —
die Busse

das Taxi — die Taxis

 **der** Lastwagen — die Lastwagen /
der Lkw — die Lkws

 **das** Motorrad —
die Motorräder

das Fahrrad — die Fahrräder

der Lenker

die Klingel

der Sattel

der Rückstrahler

das Vorderlicht

der Gepäckträger

der Rahmen

die Bremse

das Rücklicht

das Rad

die Pedale

die Kette

der Fahrradhelm

die Luftpumpe

anhalten — er hält an, er hielt an,
er hat angehalten
  nicht weitergehen oder weiterfahren
  Das Auto muss an der Ampel anhalten,
  sie zeigt gerade rot an.

aufpassen — er passt auf, er passte auf,
er hat aufgepasst
  vorsichtig sein; ganz genau schauen
  und hören, damit nichts passiert
  Wenn man über die Straße geht, muss
  man gut aufpassen.

bremsen — er bremst, er bremste,
er hat gebremst
  mit dem Auto oder dem Fahrrad
  langsamer fahren (bis man anhält)
  Tim hat gebremst, weil ein Kind
  auf die Straße gelaufen ist.

der Fahrradweg — die Fahrradwege
  ein Weg, auf dem sich nur Fahrradfahrer
  bewegen dürfen
  Gibt es in deiner Stadt viele Fahrradwege?

der Fußgänger — die Fußgänger
  jemand, der zu Fuß läuft
  Die Fußgänger laufen am Zebrastreifen
  über die Straße.

der Fußweg — die Fußwege
  ein Weg, auf dem nur Fußgänger
  gehen dürfen
  Auf dem Fußweg darf man nicht
  Fahrrad fahren.

hupen — er hupt, er hupte, er hat gehupt
  wenn Autos einen lauten Ton machen
  Das Auto hupt, damit der Hund wegläuft.

klingeln — sie klingelt, sie klingelte,
sie hat geklingelt
  wenn Fahrräder einen lauten Ton machen
  Lea klingelt, damit sie jeder hört.

der Lärm
  viele laute, oft unangenehme Geräusche
  In großen Städten gibt es viel Lärm.

parken — er parkt, er parkte, er hat geparkt
  das Auto irgendwo stehen lassen
  Hier darf man nicht parken.

der Straßenverkehr
  wenn sich Fahrzeuge und Menschen
  auf der Straße bewegen
  In der Stadt ist ein dichter Straßenverkehr.

die Verkehrsregel — die Verkehrsregeln
  Die Verkehrsregeln sagen, wie sich Fußgänger und Fahrzeuge auf der Straße
  verhalten sollen.
  Jeder Fahrradfahrer muss die Verkehrs-
  regeln kennen.

die Vorfahrt
  Wer die Vorfahrt hat, darf an der
  Kreuzung als erster fahren.
  Der Fahrer hat einen Unfall verursacht,
  weil er die Vorfahrt nicht beachtet hat.

mit dem Bus / der Straßenbahn /
dem Auto / dem Zug fahren

zu Fuß gehen

Auf dem Bahnhof

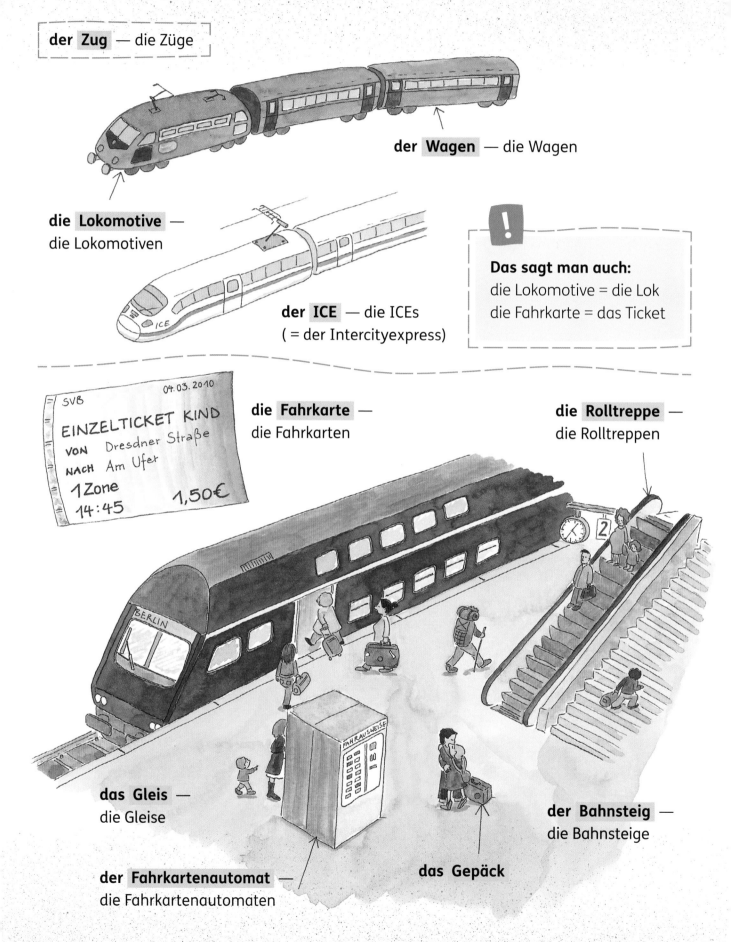

der **Zug** — die Züge

der **Wagen** — die Wagen

die **Lokomotive** — die Lokomotiven

der **ICE** — die ICEs
(= der Intercityexpress)

!

Das sagt man auch:
die Lokomotive = die Lok
die Fahrkarte = das Ticket

SVB
04.03.2010
EINZELTICKET KIND
VON Dresdner Straße
NACH Am Ufer
1 Zone
14:45   1,50€

die **Fahrkarte** — die Fahrkarten

die **Rolltreppe** — die Rolltreppen

das **Gleis** — die Gleise

der **Bahnsteig** — die Bahnsteige

der **Fahrkartenautomat** — die Fahrkartenautomaten

das **Gepäck**

die Abfahrt — die Abfahrten
　　der Zeitpunkt, wenn man losfährt
　　Die Abfahrt des Zuges ist um 8.15 Uhr.

das Abteil — die Abteile
　　kleine Räume in einem Zug für meist
　　sechs Personen
　　Meine Familie hat ein Abteil für sich allein.

ankommen — er kommt an, er kam an,
er ist angekommen
　　wenn jemand oder etwas nach einer
　　Fahrt da ist
　　Wann kommt der Zug aus Prag an?

die Ankunft — die Ankünfte
　　der Zeitpunkt, wenn man an einen
　　Ort kommt
　　Die Ankunft des ICEs ist um 14.20 Uhr.

aussteigen — sie steigt aus, sie stieg aus,
sie ist ausgestiegen
　　den Zug / den Bus / das Auto oder
　　die Straßenbahn verlassen
　　*An der nächsten Station müssen
　　wir aussteigen.*

die Bahn
　　Zug, der aus einer Lokomotive und
　　Waggons besteht
　　*Die Bahn ist ein schnelles und sicheres
　　Transportmittel.*

einsteigen — er steigt ein, er stieg ein,
er ist eingestiegen
　　in einen Zug / einen Bus / ein Auto oder
　　eine Straßenbahn eintreten
　　Steig ein, der Zug fährt gleich ab!

entwerten — er entwertet, er entwertete,
er hat entwertet
　　eine Fahrkarte für die Fahrt abstempeln
　　*Wer seine Fahrkarte nicht entwertet,
　　muss eine Strafe zahlen.*

reservieren — sie reserviert,
sie reservierte, sie hat reserviert
　　vorher eine Karte oder einen Platz
　　bestellen
　　*Entschuldigung, aber diesen Platz
　　habe ich reserviert.*

schnell
　　mit hohem Tempo
　　*ICEs sind sehr schnell. Sie können über
　　200 km pro Stunde fahren.*

verpassen — er verpasst, er verpasste,
er hat verpasst
　　zu spät sein und etwas nicht
　　mehr schaffen
　　*Mach schnell, sonst verpassen wir
　　unseren Zug.*

der Zugbegleiter — die Zugbegleiter
die Zugbegleiterin — die Zugbegleiterinnen
　　Menschen, die im Zug die Fahrkarten
　　kontrollieren
　　*Die Zugbegleiterin kommt gerade
　　in unseren Wagen.*

die Abfahrt —> abfahren
die Ankunft —> ankommen
die Reservierung —> reservieren

Im Geschäft

das **Geschäft** — die Geschäfte

Das sagt man auch:
das Geschäft = der Laden

die **Bäckerei** —
die Bäckereien

die **Bank** —
die Banken

die **Apotheke** —
die Apotheken

das **Blumengeschäft** —
die Blumengeschäfte

die **Fleischerei** — die Fleischereien /
die **Metzgerei** — die Metzgereien

der **Friseur** —
die Friseure

der **Optiker** —
die Optiker

das **Schuhgeschäft** —
die Schuhgeschäfte

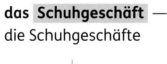

der **Zeitungskiosk** —
die Zeitungskioske

die **Buchhandlung** —
die Buchhandlungen

das **Schreibwarengeschäft** —
die Schreibwarengeschäfte

das **Schaufenster** —
die Schaufenster

anbieten — er bietet an, er bot an,
er hat angeboten
> jemandem zeigen, was er kaufen oder
> haben kann
> *Der Obstverkäufer bietet heute frische*
> *Äpfel an.*

beraten — sie berät, sie beriet,
sie hat beraten
> jemandem mit Rat und Tipps bei einer
> Entscheidung helfen
> *Die Verkäuferin hat mich beim Schuhkauf*
> *gut beraten.*

die **Drogerie** — die Drogerien
> ein Geschäft, in dem man zum Beispiel
> Seife, Putzmittel, Parfum kaufen kann
> *Ich muss noch in der Drogerie*
> *Shampoo kaufen.*

einkaufen — sie kauft ein, sie kaufte ein,
sie hat eingekauft
> in einem Geschäft Dinge für Geld
> bekommen
> *Meine Schwester geht gern einkaufen.*

das **Einkaufszentrum** —
die Einkaufszentren
> ein großes Haus mit vielen Geschäften
> *In der Stadt gibt es ein neues Einkaufs-*
> *zentrum.*

empfehlen — er empfiehlt, er empfahl,
er hat empfohlen
> jemandem einen Rat geben, was
> man machen oder wählen kann
> *Kannst du mir etwas empfehlen? –*
> *Ich weiß nicht, was ich wählen soll.*

freundlich
> nett
> *Unser Bäcker ist immer sehr freundlich.*

geöffnet
> offen sein
> *Das Café hat geöffnet. Komm, lass uns*
> *reingehen!*

liefern — sie liefert, sie lieferte,
sie hat geliefert
> einer Person oder einem Geschäft Waren
> bringen, die sie bestellt haben
> *Die Buchhandlung liefert Bücher auch*
> *direkt nach Hause.*

preiswert
> etwas ist günstig, es kostet nicht viel Geld
> *In diesem Geschäft kann man preiswert*
> *einkaufen.*

verkaufen — er verkauft, er verkaufte,
er hat verkauft
> jemandem Dinge für Geld geben
> *Mein Opa hat sein altes Auto verkauft.*

die **Ware** — die Waren
> Dinge, die in einem Geschäft
> verkauft werden
> *Im Schaufenster kann man sich*
> *die Waren anschauen.*

wollen — er will, er wollte, er hat … wollen
> den Wunsch oder die Absicht haben
> *Wann willst du einkaufen gehen?*

Die Arbeit

der **Beruf** — die Berufe

der **Koch** —
die Köche

Mann	Frau
der Kellner + in —> die Kellnerin
der Polizist + in —> die Polizistin
der Koch + in —> die Köchin

ABER
der Krankenpfleger — die Krankenschwester

die **Polizistin** —
die Polizistinnen

der **Bauarbeiter** —
die Bauarbeiter

der **Briefträger** —
die Briefträger

der **Automechaniker** —
die Automechaniker

die **Sekretärin** —
die Sekretärinnen

die **Kellnerin** —
die Kellnerinnen

der **Schornsteinfeger** —
die Schornsteinfeger

der **Taxifahrer** —
die Taxifahrer

die Arbeit
- Job; die Tätigkeit, für die man Geld bekommt
Meine Mutter geht jeden Tag um 8.00 Uhr zur Arbeit.
- Aufgaben, die man erledigen muss
Heute habe ich viel Arbeit – ich muss noch einen Aufsatz schreiben und ein Referat vorbereiten.

arbeiten — er arbeitet, er arbeitete, er hat gearbeitet
tätig sein; einen Beruf ausüben
Mein Vater arbeitet in einer großen Autowerkstatt.

der Arbeitgeber — die Arbeitgeber
ein Mensch oder eine Institution, bei der andere für Geld arbeiten
Die Post ist ein großer Arbeitgeber.

das Arbeitsamt — die Arbeitsämter
eine Institution, die arbeitslosen Menschen hilft, Arbeit zu finden
Wenn man arbeitslos wird, muss man sich beim Arbeitsamt melden.

arbeitslos
wenn man keine bezahlte Arbeit hat
Unser Nachbar ist seit einem halben Jahr arbeitslos.

das Büro — die Büros
Raum, in dem Menschen am Schreibtisch arbeiten
In dem hohen Gebäude befinden sich sehr viele Büros.

die Fabrik — die Fabriken
Gebäude, in dem Produkte oder Maschinen hergestellt werden
Hier wird eine neue Papierfabrik gebaut.

das Gehalt — die Gehälter
Geld, das man für seine Arbeit bekommt
Wenn ich erwachsen bin, möchte ich eine Arbeit mit einem guten Gehalt finden.

herstellen — er stellt her, er stellte her, er hat hergestellt
produzieren; neue Produkte schaffen
In dieser Fabrik werden Schuhe hergestellt.

kündigen — er kündigt, er kündigte, er hat gekündigt
- von alleine seine Arbeit aufgeben
Herr Müller hat seine Arbeit gekündigt, weil er eine andere gefunden hat.
- wenn der Arbeitgeber die Arbeit von jemandem beendet
Weil Herr Wagner oft unentschuldigt gefehlt hat, hat ihm sein Arbeitgeber gekündigt.

verdienen — er verdient, er verdiente, er hat verdient
Geld für seine Arbeit bekommen
Ärzte verdienen meistens mehr Geld als Bauarbeiter.

zur Arbeit / auf Arbeit gehen
auf Arbeit sein

Die Feuerwehr

das Feuer —
die Feuer

das Feuerwehrauto —
die Feuerwehrautos

das Feuerzeug —
die Feuerzeuge

der Feuerlöscher —
die Feuerlöscher

das Streichholz —
die Streichhölzer

der Feuerwehrmann —
die Feuerwehrmänner

die Streichholzschachtel —
die Streichholzschachteln

löschen — er löscht,
er löschte, er hat gelöscht

anzünden — er zündet an,
er zündete an, er hat angezündet

der Notruf

Tel. 112

Hier ist die Notrufzentrale.
Mit wem spreche ich?

Was ist passiert?

Hallo, hier ist Michaela Zimmermann.

Bei unseren Nachbarn brennt es
in der Garage.

Kannst du mir die genaue Adresse sagen?

Amselweg 15, 01069 Dresden.

Wir kommen gleich.

die Asche
Reste in Form von Pulver, die nach einem Brand übrig bleiben
Von dem verbrannten Holz blieb nur die Asche übrig.

der Brand — die Brände
großes Feuer, das viel kaputt macht
Den großen Brand löschte die Feuerwehr mit Wasser.

brennen — er brennt, er brannte, er hat gebrannt
wenn etwas in Flammen steht
Holz und Papier brennen gut.

die Flamme — die Flammen
der nach oben steigende und sichtbare Teil eines Feuers
Der Wind hat die Flamme der Kerze gelöscht.

gefährlich
wenn man Angst haben muss, dass etwas Schlimmes passiert
Es ist gefährlich, mit dem Feuer zu spielen.

giftig
etwas, was in einem Körper zum Schaden führt
Wenn es brennt, entstehen giftige Gase.

glühen — er glüht, er glühte, er hat geglüht
wenn etwas ohne Flamme brennt und dabei eine sehr hohe Temperatur hat
Das Holz glühte noch lange.

die Glut
nach einem Feuer übrig gebliebene Stücke, die noch sehr heiß sind, aber keine Flamme mehr haben
Vorsicht, unter der Asche liegt noch die Glut.

qualmen — er qualmt, er qualmte, er hat gequalmt
wenn beim Feuer Rauch entsteht
Als das Haus brannte, qualmte es stark.

der Rauch
weißer oder grauer Nebel, der bei einem Feuer in die Luft steigt
Es gab so viel Rauch, dass man gar nichts sehen konnte.

retten — er rettet, er rettete, er hat gerettet
jemanden aus großer Not befreien
Tim rettete den kleinen Vogel, der aus dem Nest gefallen ist.

die Sirene — die Sirenen
ein Gerät, das einen lauten Ton macht und vor Gefahr warnt
Die Feuerwehr fährt mit Blaulicht und Sirene zu einem Brand.

verbrennen — sie verbrennt, sie verbrannte, sie hat verbrannt
etwas mit Feuer zerstören
Wir haben die alten Zeitungen im Ofen verbrannt.

Das sagt man: Es brennt. Es qualmt.

Auf dem Bauernhof

die Getreidepflanze — die Getreidepflanzen

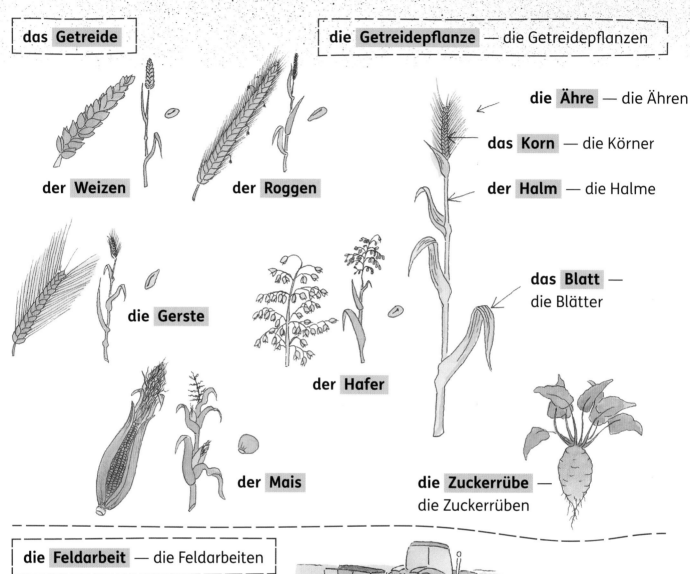

der Weizen

der Roggen

die Ähre — die Ähren

das Korn — die Körner

der Halm — die Halme

das Blatt —
die Blätter

die Gerste

der Hafer

der Mais

die Zuckerrübe —
die Zuckerrüben

die Feldarbeit — die Feldarbeiten

säen — er sät,
er säte, er hat gesät

pflügen — er pflügt,
er pflügte, er hat gepflügt

düngen — er düngt,
er düngte, er hat gedüngt

bewässern — er bewässert,
er bewässerte, er hat bewässert

ernten — er erntet,
er erntete, er hat geerntet

anbauen — sie baut an, sie baute an, sie hat angebaut
im Garten oder auf dem Feld Obst, Gemüse oder Getreide pflanzen
Unsere Nachbarin hat in ihrem Garten Kartoffeln angebaut.

BIO
Information, dass etwas ohne chemische Mittel produziert wird
Heute kann man schon Bioschokolade kaufen.

der Boden — die Böden
die Erde
Auf diesem fruchtbaren Boden wächst Gemüse besonders gut.

das Feld — die Felder
größeres Stück Land, wo der Bauer seine Produkte anbaut
Im Herbst werden die Felder mit Mist gedüngt.

fruchtbar
Boden, der besonders gut für die landwirtschaftliche Produktion ist
Der Boden ist in dieser Gegend sehr fruchtbar.

gießen — sie gießt, sie goß, sie hat gegossen
Pflanzen Wasser geben
Die Mutter gießt die Blumen.

die Landwirtschaft
Pflanzen anbauen und Tiere züchten
Mein Onkel arbeitet in der Landwirtschaft.

der Mähdrescher — die Mähdrescher
eine Maschine, mit der man Getreide erntet
Im August sieht man auf den Feldern viele Mähdrescher.

der Schädling — die Schädlinge
ein Tier oder eine Pflanze, die einen Schaden macht
Mäuse und Ratten sind Schädlinge.

die Scheune — die Scheunen
ein Gebäude, wo man Getreide und Heu lagert
In der Scheune hat der Bauer viel Stroh.

der Traktor — die Traktoren
großes Fahrzeug, das man zum Ziehen landwirtschaftlicher Geräte benutzt
Paul ist in den Ferien mit seinem Opa Traktor gefahren.

wachsen — er wächst, er wuchs, er ist gewachsen
immer größer werden
Auf dem Feld wächst Getreide.

züchten — er züchtet, er züchtete, er hat gezüchtet
Tiere und Pflanzen halten, um weitere junge Tiere und neue Pflanzen zu bekommen
Der Bauer züchtet viele Tiere.

Im Stall

die Ente —
die Enten

der Hahn —
die Hähne

das Huhn —
die Hühner

die Henne —
die Hennen

die Gans —
die Gänse

das Ei — die Eier

die Kuh —
die Kühe

das Kaninchen —
die Kaninchen

die Ziege —
die Ziegen

die Katze —
die Katzen

der Hund —
die Hunde

das Schwein —
die Schweine

der Esel —
die Esel

das Schaf —
die Schafe

die Mähne —
die Mähnen

das Pferd — die Pferde

der Schwanz —
die Schwänze

das Maul — die Mäuler

der Hals — die Hälse

der Schenkel — die Schenkel

der Huf — die Hufe

die Maus — die Mäuse

der Bauer — die Bauern
die Bäuerin — die Bäuerinnen
ein Mensch, der in der Landwirtschaft arbeitet
Der Tag eines Bauern fängt sehr früh an.

das Futter
das Fressen für Tiere
*Der Bauer gibt den Tieren jeden
Morgen Futter.*

füttern — er füttert, er fütterte,
er hat gefüttert
Tieren das Fressen geben
Die Kinder füttern die Tiere im Stall.

die Herde — die Herden
eine Gruppe von großen Tieren,
die zusammen leben
*Auf der Weide grast eine große
Herde Kühe.*

das Heu
Gras, das getrocknet ist
Ziegen fressen im Winter Heu.

melken — er melkt, er melkte,
er hat gemolken
Milch von Kühen, Ziegen oder Schafen
holen
Der Bauer melkt die Kühe zweimal am Tag.

der Mist
Kot von Tieren vermischt mit Stroh
*Mist benutzt man zum Düngen
von Feldern.*

das Nutztier — die Nutztiere
Haustiere, die man für Fleisch, Eier,
Milch oder Wolle hält
*Zu den Nutztieren gehören zum Beispiel
Kühe, Schafe, Schweine und Ziegen.*

das Rind — die Rinder
Kühe, Ochsen und Kälber
Ich esse gern das Fleisch vom Rind.

der Stall — die Ställe
Gebäude, in dem Nutztiere leben
Wir haben im Stall drei Kühe.

das Stroh
ausgetrocknete Halme vom Getreide
Der Bauer hat Stroh im Stall gestreut.

das Vieh
alle Nutztiere vom Bauernhof
*Das Vieh wartet im Stall, dass es
gefüttert wird.*

die Weide — die Weiden
eine Wiese, auf der das Vieh Gras frisst
Der Junge treibt die Kühe auf die Weide.

Tierlaute:
Hunde bellen.
Katzen miauen.
Schweine quieken und grunzen.
Enten quaken.
Esel schreien.
Gänse schnattern.
Kühe muhen.
Ziegen meckern.

der **Elefant** —
die Elefanten

der **Löwe** —
die Löwen

der **Rüssel** —
die Rüssel

die **Schlange** —
die Schlangen

der **Pinguin** —
die Pinguine

das **Kamel** —
die Kamele

die **Schildkröte** —
die Schildkröten

der **Affe** —
die Affen

das **Zebra** —
die Zebras

der **Schnabel** —
die Schnäbel

der **Flügel** —
die Flügel

das **Nashorn** —
die Nashörner

das **Horn** —
die Hörner

der **Papagei** —
die Papageien

die **Giraffe** —
die Giraffen

das **Krokodil** —
die Krokodile

das **Känguru** —
die Kängurus

der **Eisbär** —
die Eisbären

das Aquarium — die Aquarien
Behälter mit Wasser gefüllt, in dem
Fische und andere Wassertiere
gehalten werden
*In unserem Zoo gibt es ein riesengroßes
Aquarium mit Meeresfischen.*

der Besucher — die Besucher
Menschen, die zu einer Veranstaltung
gehen, um sich etwas anzuschauen
*Dieses Jahr sind sehr viele Besucher in
den Zoo gekommen.*

brüllen — er brüllt, er brüllte,
er hat gebrüllt
sehr laut schreien
Die Löwen haben laut gebrüllt.

das Fell — die Felle
Tierhaut mit sehr vielen Haaren
Der Eisbär hat ein weiches Fell.

gefährlich
eine Person oder ein Tier, die anderen
schaden kann
*Der Löwe hat scharfe Zähne, er ist sehr
gefährlich.*

gefleckt
etwas hat Flecken
*Das Fell von
Geparden ist gefleckt.*

das Gehege — die Gehege
ein Platz mit einem Zaun, in dem Tiere
gehalten werden
Viele Tiere im Zoo leben im Gehege.

gestreift
mit Streifen
Das Fell von Zebras ist gestreift.

der Käfig — die Käfige
ein Raum für Tiere, der Gitter hat
Unser Papagei lebt in einem großen Käfig.

stark — stärker, am stärksten
viel Kraft haben
Bären gehören zu den stärksten Tieren.

der Tierarzt — die Tierärzte
ein Arzt, der sich um die Gesundheit
der Tiere kümmert
*Der Tierarzt hat dem Zebra eine Vitamin-
spritze gegeben.*

der Tierpfleger — die Tierpfleger
ein Mensch, der Tiere pflegt und sich um
ihre Unterkunft und das Fressen kümmert
*Um 18 Uhr wird der Tierpfleger
die Elefanten füttern.*

der Winterschlaf
langer, tiefer Schlaf von Tieren im Winter
*Im Winter halten Eichhörnchen ihren
Winterschlaf.*

der Zoo — die Zoos
ein Ort, wo viele exotische und heimische
Tiere gefangen leben
Im Zoo kann man viele Wildtiere sehen.

Am Strand

der Sonnenhut —
die Sonnenhüte

die Sonnenbrille —
die Sonnenbrillen

die Sonnencreme —
die Sonnencremes

der Sonnenschirm —
die Sonnenschirme

der Badeanzug —
die Badeanzüge

die Badehose —
die Badehosen

der Bikini —
die Bikinis

der Schwimmreifen —
die Schwimmreifen

das Surfbrett —
die Surfbretter

die Muschel —
die Muscheln

der Schnorchel
— die Schnorchel

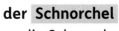

die Taucherbrille —
die Taucherbrillen

das Schlauchboot —
die Schlauchboote

schwimmen — sie schwimmt,
sie schwamm, sie ist/hat geschwommen

tauchen — er taucht, er tauchte,
er ist/hat getaucht

baden — sie badet, sie badete, sie hat gebadet
> im Meer, See oder Schwimmbad sein
> *Sie badet am liebsten im Meer.*

das Badetuch — die Badetücher
> großes Handtuch, mit dem man sich nach dem Baden abtrocknet
> *Das Badetuch ist nass, leg es in die Sonne zum Trocknen.*

flach
> Wasser, das nicht tief ist, ist flach.
> *Das Wasser hier ist flach, hier können auch Kinder baden.*

heiß
> sehr warm
> *Der Sand ist heiß, er brennt an den Füßen.*

kalt — kälter, am kältesten
> wenige Grade Celsius haben
> *Das Wasser ist noch kalt, deshalb können wir nicht baden gehen.*

das Meer — die Meere
> viel salziges Wasser in der Natur, in dem man auch baden kann
> *Im Meer leben viele verschiedene Fischarten.*

der Schatten — die Schatten
> eine Stelle, wohin keine Sonne kommt und die deshalb kühl und etwas dunkler ist
> *Wenn es dir in der Sonne zu heiß ist, dann lege dich in den Schatten.*

spritzen — er spritzt, er spritzte, er hat gespritzt
> Wasser durch die Luft wirbeln
> *Die Wellen haben uns Wasser über die Beine gespritzt.*

der Strand — die Strände
> der Rand am Meer, der oft mit Sand bedeckt ist
> *Das Hotel liegt direkt am Strand.*

tief
> Information, dass etwas weit nach unten reicht
> *Hier ist das Wasser tief, hier kannst du nicht stehen.*

ins Wasser gehen — er geht ins Wasser, er ging ins Wasser, er ist ins Wasser gegangen
> baden gehen
> *Kommst du mit ins Wasser oder bleibst du auf der Decke?*

die Welle — die Wellen
> Wasser, das sich hoch und herunter bewegt
> *Heute gibt es hohe Wellen, weil der Wind stark bläst.*

In den Bergen

das Gebirge —
die Gebirge

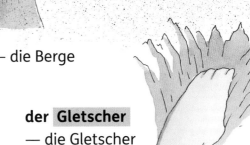

der Berg — die Berge

der Gletscher
— die Gletscher

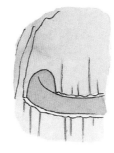

die Gämse —
die Gämsen

der Tunnel —
die Tunnel

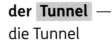

der Wasserfall —
die Wasserfälle

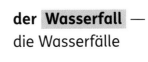

der Felsen — die Felsen

der Rucksack —
die Rucksäcke

der Skistock —
die Skistöcke

der Schneemann —
die Schneemänner

der Skischuh —
die Skischuhe

der Schlitten —
die Schlitten

klettern — er klettert,
er kletterte, er ist geklettert

rodeln — er rodelt,
er rodelte, er ist gerodelt

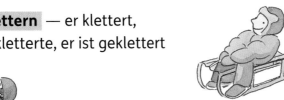

wandern — er wandert,
er wanderte, er ist gewandert

Ski fahren — er fährt Ski,
er fuhr Ski, er ist Ski gefahren

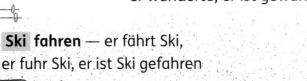

der Ausflug — die Ausflüge
eine kurze Reise, die man zum
Spaß macht
*Nächste Woche macht unsere Klasse
einen Ausflug nach Berlin.*

die Aussicht — die Aussichten
der Blick auf die Umgebung
*Sie hat aus ihrem Zimmer eine gute
Aussicht auf die Berge.*

der Bach — die Bäche
kleines fließendes Flüsschen
In den Bergen fließt ein Bach.

bergab
nach unten
Der Stein rollt bergab.

bergauf
nach oben
*Bei unserer Wanderung führte der Weg
lange Zeit bergauf.*

der Bergsteiger — die Bergsteiger
ein Mensch, der in den Bergen wandert
und klettert
*Der Bergsteiger steigt den hohen
Berg hinauf.*

die Lawine — die Lawinen
viel Schnee, der vom Berg ins Tal rutscht
*Die Hütte wurde von einer Lawine
begraben.*

der Lift — die Lifte
eine Konstruktion, die die Skifahrer auf
den Berg hochbringt oder hochzieht
Vor dem Skilift steht eine lange Schlange.

die Piste — die Pisten
die Strecke auf einem Berg, auf der
man rodeln oder Ski fahren kann
Auf der Skipiste sind viele Skifahrer.

rutschen — er rutscht, er rutschte,
er ist gerutscht
sich auf einem glatten Boden bewegen
*Die Kinder rutschen auf dem zugefro-
renen Teich.*

die Schlucht — die Schluchten
enger, steiler Riss
in einem Gebirge
Die Schlucht ist sehr tief.

der Schnee
zu kleinen Kristallen gefrorenes Wasser
In den Bergen liegt viel Schnee.

stürzen — sie stürzt, sie stürzte,
sie ist gestürzt
herunterfallen
*Das Mädchen ist gestürzt und hat
sich wehgetan.*

das Tal — die Täler
flaches, tief gelegenes Land zwischen
den Bergen
*Der Sessellift führt vom Tal bis auf den
Berggipfel.*

tragen — er trägt, er trug, er hat getragen
etwas halten und von einem Ort
zu einem anderen transportieren
*Bei Wanderungen trägt unser Vater
immer den Rucksack.*

Beim Konzert

das **Blasinstrument** — die Blasinstrumente

die **Klarinette** —
die Klarinetten

die **Trompete** —
die Trompeten

die **Flöte** —
die Flöten

das **Streichinstrument** — die Streichinstrumente

die **Saite** —
die Saiten

der **Bogen** —
die Bögen

der **Kontrabass** —
die Kontrabässe

die **Violine** — die Violinen /
die **Geige** — die Geigen

das **Cello** —
die Cellos

das **Tasteninstrument** — die Tasteninstrumente

das **Klavier** —
die Klaviere

das **Keyboard** —
die Keyboards

der **Flügel** —
die Flügel

das **Mikrofon** —
die Mikrofone

das **Schlagzeug** —
die Schlagzeuge

die **Gitarre** —
die Gitarren

der **Dirigent** —
die Dirigenten

die **Sängerin** —
die Sängerinnen

die Band — die Bands
Gruppe von Leuten, die moderne Musik machen
Micha spielt in einer Band Schlagzeug.

der Chor — die Chöre
viele Menschen, die zusammen singen
Ich singe schon seit zwei Jahren im Chor.

klingen — er klingt, er klang,
er hat geklungen
wie sich etwas anhört
Dieses Lied klingt ein bisschen traurig.

komponieren — er komponiert,
er komponierte, er hat komponiert
sich Musik ausdenken und aufschreiben
Ludwig van Beethoven hat schöne Klaviermusik komponiert.

das Konzert — die Konzerte
eine Veranstaltung, bei der Musik vorgespielt wird
Meine Eltern gehen gern ins Konzert.

laut
etwas, dass man auch weit weg noch hört
Monika hat die Musik so laut gestellt, dass man sie sogar auf der Straße hört.

leise
etwas, an das man nah herangehen muss, um es hören zu können
Wenn du so leise sprichst, kann ich dich nicht verstehen.

die Musik
etwas, das man hören kann und das sich jemand für Instrumente oder die menschliche Stimme ausgedacht hat
Matthias hört und spielt gern Musik.

die Note — die Noten
aufgeschriebene Musik
Mathilde kann schon Noten lesen.

das Orchester — die Orchester
eine Gruppe von vielen Musikern, die Sinfonien oder Konzerte spielen
In einem Orchester gibt es viele Violinen.

singen — sie singt, sie sang,
sie hat gesungen
mit der eigenen Stimme Musik machen
Meine Oma singt gerne Weihnachtslieder.

der Ton — die Töne
Eine Melodie besteht aus unterschiedlich hohen und tiefen Tönen.
Mit dem Kontrabass kann man ganz tiefe Töne spielen.

üben — er übt, er übte, er hat geübt
etwas so oft machen, bis man es gut kann
Felix übt jeden Tag eine Stunde Klavier.

!

Spieler von Instrumenten:
die Flöte – der Flötist / die Flötistin
die Geige – der Geiger / die Geigerin
das Klavier – der Pianist / die Pianistin

Im Theater

der **Ballettänzer** —
die Ballettänzer

die **Ballettänzerin** —
die Ballettänzerinnen

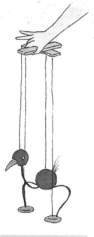

die **Handpuppe** —
die Handpuppen

der **Schauspieler** —
die Schauspieler

die **Marionette** —
die Marionetten

die **Schauspielerin** —
die Schauspielerinnen

das **Kostüm** —
die Kostüme

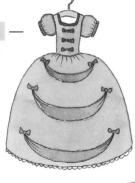

die **Perücke** —
die Perücken

die **Maske** —
die Masken

der **Vorhang** — die Vorhänge

die **Bühne** —
die Bühnen

der **Scheinwerfer** —
die Scheinwerfer

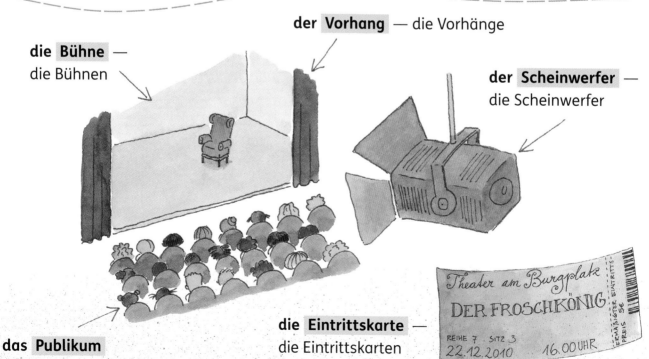

die **Eintrittskarte** —
die Eintrittskarten

das **Publikum**

anfangen — sie fängt an, sie fing an,
sie hat angefangen
> beginnen; starten; wenn etwas losgeht
> *Psst! Jetzt fängt die Vorstellung an.*

der Applaus
> wenn nach einer Veranstaltung viel
> geklatscht wird
> *Bei der Uraufführung vom „Froschkönig"*
> *gab es viel Applaus.*

aufführen — er führt auf, er führte auf,
er hat aufgeführt
> ein Theater- oder ein Musikstück
> vor Publikum spielen
> *Wann wird der „Froschkönig" aufgeführt?*

der Eintritt
> Geld, das man bezahlen muss, wenn
> man ins Theater oder Kino gehen möchte
> *Wie viel kostet der Eintritt?*

klatschen — er klatscht, er klatschte,
er hat geklatscht
> Hände zusammen schlagen, um zu
> zeigen, dass einem etwas gefällt
> *Bei der letzten Aufführung klatschte das*
> *Publikum eine Viertelstunde lang.*

der Kritiker — die Kritiker
> eine Person, die zum Beispiel in der
> Zeitung schreibt, was an einer Veran-
> staltung gut oder schlecht war
> *Die Kritiker haben sehr positiv über das*
> *neue Stück berichtet.*

proben — er probt, er probte,
er hat geprobt
> üben, bevor ein Theater- oder Musikstück
> aufgeführt wird
> *Für den „Froschkönig" haben die Schau-*
> *spieler ein halbes Jahr geprobt.*

das Publikum
> Menschen, die in einer Veranstaltung,
> zum Beispiel im Theater, zusehen und
> zuhören
> *Dem Publikum gefiel das neue Stück.*

das Puppentheater — die Puppentheater
> ein Theater, in dem die Rollen nicht
> von Menschen, sondern von Handpuppen
> gespielt werden
> *Kinder gehen oft lieber ins Puppentheater*
> *als ins normale Theater.*

die Rolle — die Rollen
> eine Figur in einem Film oder Theater-
> stück, die von einem Schauspieler
> gespielt wird
> *Tamara Werfel spielte im „Froschkönig"*
> *die Rolle der Königstochter.*

das Stück — die Stücke
> ein Musik- oder Theaterwerk, das
> von Schauspielern oder Musikern
> vorgespielt wird
> *Welche Stücke werden gerade im*
> *Bergtheater gespielt?*

das Theater — die Theater
> ein Ort, an dem Stücke für ein Publikum
> gespielt werden
> *Gestern war ich im Theater.*

Kino und Fernsehen

der Film — die Filme

der Spielfilm —
die Spielfilme

der Animationsfilm —
die Animationsfilme

der Tierfilm —
die Tierfilme

die Fernsehsendung — die Fernsehsendungen

die Nachrichten (Plural)

die Wettervorhersage —
die Wettervorhersagen

der Werbespot —
die Werbespots

die Leinwand —
die Leinwände

der Projektor —
die Projektoren

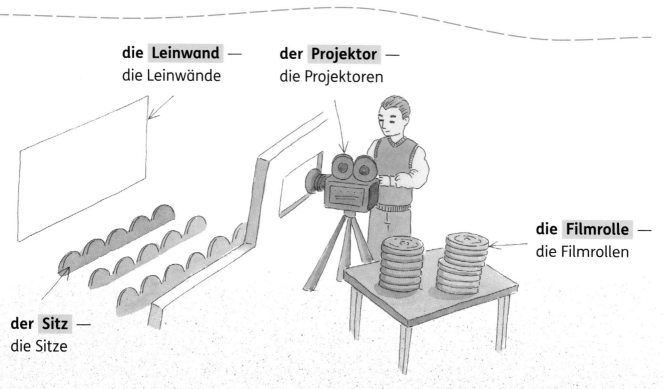

die Filmrolle —
die Filmrollen

der Sitz —
die Sitze

116

sich ansehen — sie sieht sich an,
sie sah sich an, sie hat sich angesehen
> etwas mit den Augen über längere Zeit
> wahrnehmen; sich anschauen
> *Meine Mutter sieht sich jeden Tag die*
> *Nachrichten an.*

berühmt
> eine Person, zum Beispiel eine Schau-
> spielerin, die viele Menschen aus dem
> Fernsehen oder der Zeitung kennen
> *Welche berühmten Schauspielerinnen*
> *kennst du?*

drehen — er dreht, er drehte,
er hat gedreht
> etwas mit einer Filmkamera aufnehmen
> *Dieser Film wurde in Berlin gedreht.*

das Fernsehprogramm —
die Fernsehprogramme
> die Reihenfolge von Sendungen,
> die im Fernsehen kommen
> *In dieser Zeitschrift steht das Fernseh-*
> *programm für die nächste Woche.*

der Fernsehsender — **die Fernsehsender**
> Kanäle, die verschiedene Programme
> zeigen, zum Beispiel ZDF, ARD, RTL
> *Welchen Fernsehsender soll ich einstellen?*

die Kamera — **die Kameras**
> Gerät, mit dem man Filme oder Fernseh-
> sendungen macht
> *Dieser Film wurde mit einer besonderen*
> *Kamera gedreht.*

das Kino — **die Kinos**
> ein Ort, an dem Filme für ein Publikum
> gezeigt werden
> *Wollen wir mal wieder ins Kino gehen?*

die Komödie — **die Komödien**
> ein lustiger Film
> *Kennst du die neue Komödie von dem*
> *Weihnachtsmann, der arbeitslos wurde?*

der Regisseur — **die Regisseure**
die Regisseurin — **die Regisseurinnen**
> eine Person, die den Schauspielern sagt,
> wie sie etwas spielen sollen
> *Wie heißt der Regisseur, der diesen Film*
> *gedreht hat?*

die Sendung — **die Sendungen**
> was im Fernsehen kommt und eine
> bestimmte Länge und Form hat, zum
> Beispiel Nachrichten oder Talkshows
> *Wann beginnt deine Lieblingssendung?*

die Serie — **die Serien**
> eine Geschichte im Fernsehen, die aus
> vielen Teilen besteht und an verschiede-
> nen Tagen gesendet wird
> *Diese Serie sieht meine Oma jeden Tag.*

spannend
> wenn man unbedingt das Ende einer
> Geschichte wissen will
> *Dieser Film ist so spannend!*

Das sagt man:
Was kommt heute Abend im Fernsehen?

In der Bibliothek

das **Buch** — die Bücher

das **Bilderbuch** —
die Bilderbücher

der **Comic** —
die Comics

das **Lexikon** —
die Lexika

der **Roman** —
die Romane

das **Sachbuch** —
die Sachbücher

!

ein dickes / dünnes Buch

die **Zeitung** —
die Zeitungen

die **Zeitschrift** —
die Zeitschriften

die **CD** — die CDs

der **Bibliotheksausweis** —
die Bibliotheksausweise

die **DVD** — die DVDs

ausleihen — er leiht aus, er lieh aus,
er hat ausgeliehen
- jemandem etwas für bestimmte
  Zeit geben
  Peter hat mir sein Buch ausgeliehen.
- etwas nicht kaufen, sondern nur
  für bestimmte Zeit nehmen und
  dann zurückgeben
  Ich möchte gern dieses Buch ausleihen.

der Autor — die Autoren
die Autorin — die Autorinnen
  eine Person, die ein Buch schreibt
  Dieser Autor ist sehr erfolgreich.

die Bibliothek — die Bibliotheken
  Ort, an dem man Bücher ausleihen kann
  In unserer Stadt gibt es drei Bibliotheken.

die Leihfrist — die Leihfristen
  die Zeit, für die man zum Beispiel ein
  Buch in der Bibliothek ausleihen darf
  Die Leihfrist für Bücher ist vier Wochen.

nachschlagen — er schlägt nach,
er schlug nach, er hat nachgeschlagen
  wenn man etwas nicht weiß und in
  einem Buch nach der Information sucht
  *Kannst du im Lexikon nachschlagen, wie
  viele Einwohner in Deutschland leben?*

der Roman — die Romane
  ein Buch, in dem eine längere Geschichte
  erzählt wird, die nicht wirklich passiert ist
  *Ich lese gerade den Roman „Der kleine
  Mann" von Erich Kästner.*

das Sachbuch — die Sachbücher
  ein Buch mit Informationen über
  ein bestimmtes Thema
  *Jan hat ein neues Sachbuch über
  die Entstehung der Erde ausgeliehen.*

der Verlag — die Verlage
  ein Unternehmen, das Bücher produziert
  und verkauft
  Der Klett-Verlag stellt Schulbücher her.

verlängern — er verlängert, er verlängerte,
er hat verlängert
  etwas länger dauern lassen, zum Beispiel
  die Leihfrist oder einen Vertrag
  *Nach Ende der Leihfrist kann man das
  Buch verlängern.*

vorbestellen — sie bestellt vor,
sie bestellte vor, sie hat vorbestellt
  wenn etwas, das man ausleihen möchte,
  gerade ausgeliehen ist und man es für
  sich reservieren lässt
  Hanna hat eine Musik-CD vorbestellt.

zurückgeben — er gibt zurück,
er gab zurück, er hat zurückgegeben
  etwas, was man ausgeliehen hat,
  wieder zurückbringen
  In drei Tagen muss ich die CD zurückgeben.

Das sagt man auch:
die Bibliothek = die Bücherei

Geschichten erzählen

der König — die Könige

die Königin — die Königinnen

der Prinz — die Prinzen

die Krone — die Kronen

die Prinzessin — die Prinzessinnen

das Schloss — die Schlösser

die Fee — die Feen

der Zauberstab — die Zauberstäbe

der Drache — die Drachen

das Gespenst — die Gespenster

der Zauberer — die Zauberer

die Hexe — die Hexen

der Zwerg — die Zwerge

der Riese — die Riesen

der Besen — die Besen

der Pirat — die Piraten

der Schatz — die Schätze

!

Der Anfang und das Ende von Märchen:

Es war einmal …

… Und wenn sie nicht gestorben sind, dann leben sie noch heute.

das Abenteuer — die Abenteuer
ein gefährliches, aufregendes Erlebnis
*Ich finde Bücher spannend, in denen
Abenteuer erzählt werden.*

böse
nicht gut; jemand, der anderen schaden
oder wehtun will
Die böse Hexe wollte Hänsel aufessen.

erzählen — sie erzählt, sie erzählte,
sie hat erzählt
berichten; eine Geschichte sagen,
um jemanden zu unterhalten
*Zoe kann spannende und lustige
Geschichten erzählen.*

die Fantasie
die Fähigkeit, sich etwas Neues
auszudenken, was nicht wirklich ist
In meiner Fantasie kann ich alles machen.

das Glück
Wenn etwas gut geht, womit du nicht gerechnet hast, dann hast du Glück gehabt.
*Per hatte Glück. Der Drache sah ihn nicht,
obwohl er dicht an ihm vorbei flog.*

gut — besser, am besten
nett; jemand, der anderen hilft
Die gute Fee schenkte Kim eine Feder.

der Held — die Helden
• die wichtigste Person in einer Geschichte
Björn ist der Held dieser Geschichte.
• eine tapfere Person, die andere rettet
oder für andere Gutes tut
*Der Prinz war ein Held, weil er den
Drachen getötet hat.*

das Märchen — die Märchen
Geschichten, die in der Vergangenheit
spielen und in denen fantastische
Sachen passieren
*Die Brüder Grimm haben viele Märchen
gesammelt und aufgeschrieben.*

das Pech
kein Glück haben
*Mio hatte Pech. Der Felsbrocken fiel
genau auf seinen fliegenden Teppich.*

riesig
sehr groß
Dann stand Til vor einer riesigen Mauer.

spuken — er spukt, er spukte,
er hat gespukt
wenn Märchenfiguren wie Geister und
Gespenster Menschen Angst machen
In diesem Schloss spukt ein Gespenst.

verzaubern — sie verzaubert,
sie verzauberte, sie hat verzaubert
etwas so verändern, wie es in
der Realität nicht geht
*Die böse Hexe hat den Prinzen in einen
Frosch verzaubert.*

winzig
sehr klein
Hinter dem Vorhang war eine winzige Tür.

der Wunsch — die Wünsche
etwas, das man gerne haben oder
machen möchte
*Der Zauberring konnte alle Wünsche
erfüllen.*

Ritter und Burgen

der Ritter —
die Ritter

die Rüstung —
die Rüstungen

der Schild —
die Schilde

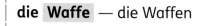

die Waffe — die Waffen

der Bogen —
die Bögen

das Schwert —
die Schwerter

die Lanze —
die Lanzen

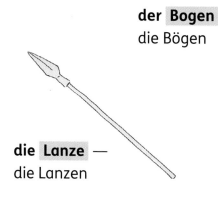

der Pfeil — die Pfeile

die Burg — die Burgen

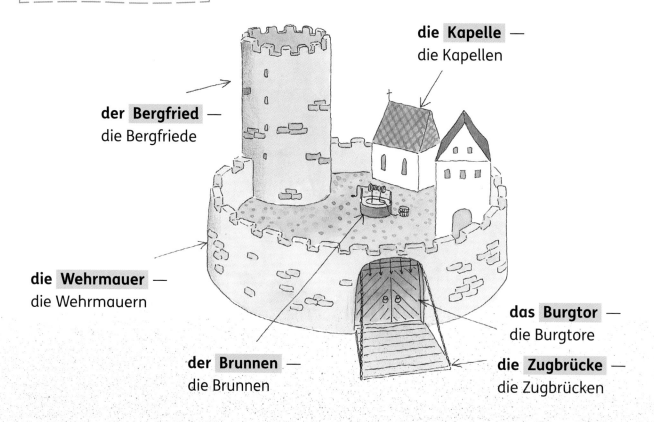

die Kapelle —
die Kapellen

der Bergfried —
die Bergfriede

die Wehrmauer —
die Wehrmauern

das Burgtor —
die Burgtore

der Brunnen —
die Brunnen

die Zugbrücke —
die Zugbrücken

bewaffnet
Waffen bei sich haben
Ritter waren mit Schwertern bewaffnet.

dienen — er dient, er diente, er hat gedient
für eine andere Person arbeiten und
von ihr abhängig sein
*Früher mussten viele Menschen einem
König dienen.*

erobern — er erobert, er eroberte,
er hat erobert
jemandem zum Beispiel Land oder
ein Gebäude durch Gewalt wegnehmen
*In Kriegen wollten Könige neues
Land erobern.*

der Frieden
die Zeit, in der kein Krieg ist
Es sollte immer Frieden sein.

die Geschichte
alles, was früher war
*Ich lese gerade ein Buch über die
Geschichte der Burgen in Deutschland.*

herrschen — er herrscht, er herrschte,
er hat geherrscht
in einem Land Macht haben und dieses
Land regieren
*Im Mittelalter herrschten in Deutschland
viele Könige und Fürsten.*

kämpfen — er kämpft, er kämpfte,
er hat gekämpft
Gewalt anwenden, um etwas
zu erreichen
Ritter mussten für ihre Könige kämpfen.

der Krieg — die Kriege
wenn Menschen mit Waffen gegen-
einander kämpfen
Im Krieg sterben viele Menschen.

das Mittelalter
eine Zeit in der Vergangenheit; das Mittelalter dauerte etwa von 500 bis 1500
Im Mittelalter gab es Burgen und Ritter.

der Narr — die Narren
eine Person, die Könige oder Adlige durch
Späße unterhalten hat
*Die Narren hatten oft Mützen mit kleinen
Glocken auf.*

tapfer
wenn jemand ohne Angst eine
gefährliche Situation besteht
Ritter sollten immer tapfer sein.

das Turnier — die Turniere
in früheren Zeiten ein Wettkampf
der Ritter
Viele Ritter wurden im Turnier verletzt.

das Wappen — die Wappen
ein Zeichen in der Form eines Schildes
für eine Stadt oder eine Königsfamilie
Auf Wappen wurden oft Tiere abgebildet.

Im Museum

das **Ausstellungsstück** — die Ausstellungsstücke

Das sagt man auch:
das Ausstellungsstück =
das Exponat

das **Gemälde** —
die Gemälde

die **Grafik** —
die Grafiken

die **Skulptur** —
die Skulpturen

die **Plastik** —
die Plastiken

die **Tracht** — die Trachten

Bitte nicht berühren!
= nicht in die Hand nehmen

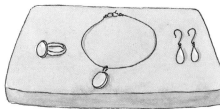

der **Schmuck**

das **Fossil** —
die Fossile

die **Führerin** —
die Führerinnen

der **Museumswärter** —
die Museumswärter

der **Besucher** — die Besucher

die **Besucherin** — die Besucherinnen

sich anschauen — er schaut sich an, er schaute sich an, er hat sich angeschaut
etwas genau ansehen; betrachten
Wollen wir uns die Fotos anschauen?

ausstellen — er stellt aus, er stellte aus, er hat ausgestellt
Dinge öffentlich zeigen; Dinge so an einen Ort stellen, dass alle Menschen sie ansehen können
Das Völkerkundemuseum stellt zur Zeit Masken aus Südamerika aus.

das Fossil — die Fossile
Reste von Tieren oder Pflanzen aus der Vergangenheit, die zum Beispiel als Abdruck auf einem Stein erhalten sind
Schau mal, hier ist ein Fossil von einem Fisch.

führen — er führt, er führte, er hat geführt
anderen Menschen den Weg zeigen; im Museum anderen Menschen die Exponate zeigen und erklären
Herr Dr. Klein führte uns durch die neue Ausstellung.

interessant
was man spannend oder wichtig findet
Diese Zeichnung ist ja interessant. So etwas habe ich noch nie gesehen.

das Kunstmuseum — die Kunstmuseen
Museum für Gemälde, Grafiken oder andere Kunstwerke
Im Kunstmuseum gibt es eine Ausstellung mit Bildern von Franz Marc.

das Museum — die Museen
Ort, an dem interessante oder wertvolle Dinge gesammelt und ausgestellt werden
In Leipzig gibt es ein Museum für Musikinstrumente.

das Naturkundemuseum — die Naturkundemuseen
Museum über Tiere, Pflanzen und Steine
In unserem Naturkundemuseum gibt es ein Skelett von einem Dinosaurier.

sammeln — sie sammelt, sie sammelte, sie hat gesammelt
bestimmte Dinge suchen, ordnen und aufheben
Das historische Museum sammelt Gegenstände aus der Vergangenheit.

selten
etwas, das es nicht oft gibt
Dinosaurierfossile aus dieser Zeit sind sehr selten. Es wurden bisher auf der ganzen Welt nur drei gefunden.

die Vitrine — die Vitrinen
ein Schrank aus Glas, in dem im Museum wertvolle Dinge eingeschlossen sind
In dieser Vitrine steht eine chinesische Porzellanvase aus dem 14. Jahrhundert.

wertvoll
etwas, das selten oder teuer ist
Dieser goldene Schmuck aus dem 16. Jahrhundert ist sehr wertvoll.

Computer und Internet

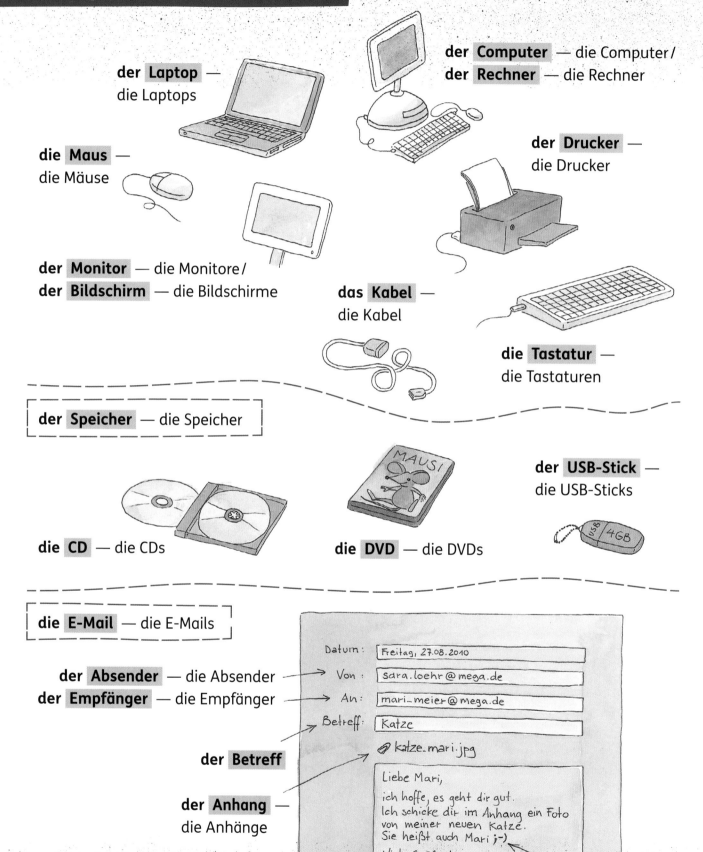

der **Laptop** —
die Laptops

der **Computer** — die Computer /
der **Rechner** — die Rechner

die **Maus** —
die Mäuse

der **Drucker** —
die Drucker

der **Monitor** — die Monitore /
der **Bildschirm** — die Bildschirme

das **Kabel** —
die Kabel

die **Tastatur** —
die Tastaturen

der **Speicher** — die Speicher

der **USB-Stick** —
die USB-Sticks

die **CD** — die CDs

die **DVD** — die DVDs

die **E-Mail** — die E-Mails

der **Absender** — die Absender
der **Empfänger** — die Empfänger

Datum: Freitag, 27.08.2010
Von: sara.loehr@mega.de
An: mari_meier@mega.de
Betreff: Katze

📎 katze_mari.jpg

der **Betreff**

Liebe Mari,
ich hoffe, es geht dir gut.
Ich schicke dir im Anhang ein Foto
von meiner neuen Katze.
Sie heißt auch Mari ;-)

Viele Grüße!
Sara

der **Anhang** —
die Anhänge

das **Smiley** — die Smileys

128

anklicken — er klickt an, er klickte an,
er hat angeklickt
> mit der Maus an eine bestimmte Stelle
> gehen und die linke Maustaste drücken
> *Klick mal diesen Link hier an.*

sich anmelden — er meldet sich an,
er meldete sich an, er hat sich angemeldet
> Login und Passwort im Computer
> eingeben
> *Um E-Mails lesen zu können, muss man*
> *sich anmelden.*

einfach
> nicht schwierig; was man schnell und
> ohne Probleme machen kann
> *Am Computer kann man Texte ganz*
> *einfach korrigieren.*

eingeben — sie gibt ein, sie gab ein,
sie hat eingegeben
> im Computer etwas in ein bestimmtes
> Feld schreiben
> *Hier muss ich das Passwort eingeben.*

fehlen — er fehlt, er fehlte, er hat gefehlt
> nicht da sein
> *Die Adresse der Internetseite ist falsch*
> *geschrieben – da fehlt ein Punkt.*

herunterladen — er lädt herunter,
er lud herunter, er hat heruntergeladen
> etwas aus dem Internet auf dem Com-
> puter oder dem USB-Stick speichern
> *Von welcher Internetseite hast du das*
> *Bild heruntergeladen?*

kennen — er kennt, er kannte,
er hat gekannt
> wissen, wie etwas ist
> *Kennst du das Passwort für diese Seite?*

kopieren — sie kopiert, sie kopierte,
sie hat kopiert
> etwas speichern, um es an eine andere
> Stelle zu tun
> *Kopiere die Adresse in die Adresszeile.*

der Link — die Links
> eine Verbindung zu einer Internetseite
> *Kannst du mir den Link zu deiner*
> *Homepage schicken?*

das Login — die Logins
> Benutzername, den man zusammen
> mit dem Passwort eingeben muss
> *Ich habe mein Login vergessen.*

online
> mit dem Internet verbunden sein
> *In meiner Freizeit bin ich oft online.*

das Passwort — die Passwörter
> Kombination aus Buchstaben und
> Zahlen, die man eingibt, um auf eine
> geschützte Seite zu kommen
> *Das Passwort muss man sich gut merken.*

speichern — er speichert, er speicherte,
er hat gespeichert
> etwas im Computer oder auf dem
> USB-Stick sichern, um es aufzuheben
> *Wenn du am Computer Texte schreibst,*
> *vergiss nicht, sie zu speichern.*

Kommunikation

das Telefon — die Telefone

der Hörer — die Hörer

 das Handy — die Handys

klingeln — er klingelt, er klingelte, er hat geklingelt

abnehmen — sie nimmt ab, sie nahm ab, sie hat abgenommen

auflegen — sie legt auf, sie legte auf, sie hat aufgelegt

telefonieren — sie telefoniert, sie telefonierte, sie hat telefoniert

---

der Brief — die Briefe

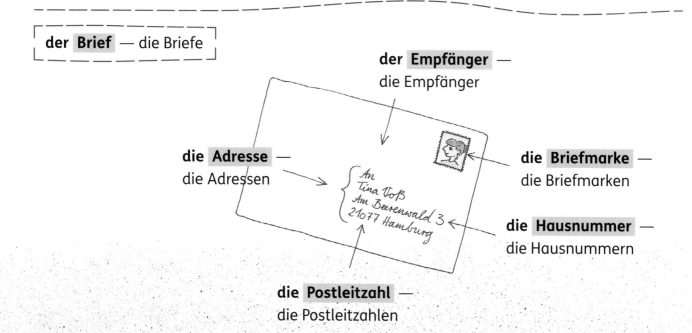

der Empfänger — die Empfänger

die Adresse — die Adressen

An
Tina Voß
Am Beerenwald 3
21077 Hamburg

die Briefmarke — die Briefmarken

die Hausnummer — die Hausnummern

die Postleitzahl — die Postleitzahlen

130

anrufen — er ruft an, er rief an,
er hat angerufen
> jemanden telefonisch kontaktieren
> *Ich ruf dich morgen an.*

besetzt
> wenn du jemanden anrufst und diese
> Person gerade telefoniert
> *Bei Oma ist schon seit einer Stunde be-
> setzt. Mit wem telefoniert sie so lange?*

der Briefkasten — die Briefkästen
- Behälter an Wohnungen und Häusern,
  in die man Post bekommt
  *Ich schaue mal im Briefkasten nach,
  ob die Post schon da ist.*
- Behälter, die an mehreren Orten in der
  Stadt stehen und in die man Post hinein-
  wirft, wenn man sie verschicken will
  In Deutschland sind die Briefkästen gelb.

bringen — er bringt, er brachte,
er hat gebracht
> etwas an einen Ort bewegen
> *Der Briefträger bringt uns die Post.*

chatten — sie chattet, sie chattete,
sie hat gechattet
> wenn du dich mit jemandem im
> Internet durch hin und her geschickte
> Nachrichten unterhältst
> *Hi Timo! Hast du Zeit? Können wir
> kurz chatten?*

erreichbar
> Wenn dich andere anrufen oder dir
> eine E-Mail schreiben können, bist du
> telefonisch oder per Mail erreichbar.
> *Über das Handy bin ich immer erreichbar.*

mailen — er mailt, er mailte, er hat gemailt
> elektronische Briefe verschicken
> *Ich maile dir meine neue Adresse.*

das Paket — die Pakete
> etwas, was man verpackt und mit
> der Post verschickt
> *Lars schafft gerade das Paket zur Post.*

die Post
- Briefe, Karten oder Pakete, die man
  verschickt oder geschickt bekommt
  Bei uns wird die Post mittags gebracht.
- ein Unternehmen, das Briefe, Karten
  und Pakete zum Empfänger bringt
  Ich schicke dir das Buch mit der Post.

schicken — er schickt, er schickte,
er hat geschickt
> E-Mails oder Post an jemanden senden
> *Fred hat mir viele lustige Fotos geschickt.*

die SMS
> ein kurzer Text, den man mit dem Handy
> versendet
> *Hast du meine SMS bekommen?*

wählen — er wählt, er wählte,
er hat gewählt
> die Telefonnummer einer Person
> ins Telefon tippen, um sie anzurufen
> *Klaus wählte Marions Nummer.*

Informationen suchen

die **Einzelarbeit**

die **Partnerarbeit**

die **Gruppenarbeit**

die **Suchmaschine** — die Suchmaschinen

die **Internetadresse** —
die Internetadressen

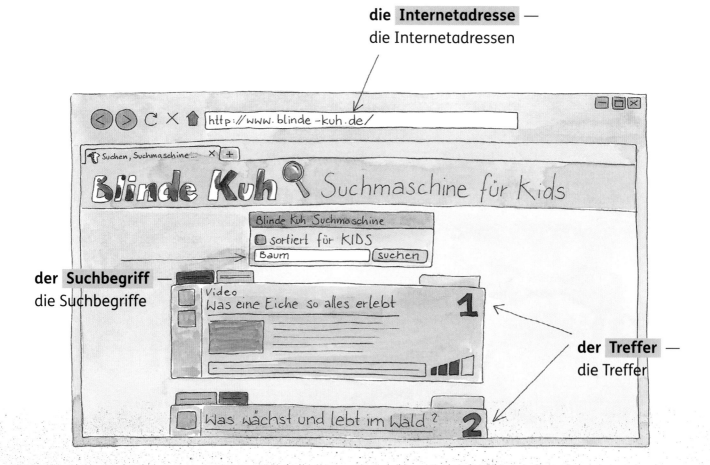

der **Suchbegriff** —
die Suchbegriffe

der **Treffer** —
die Treffer

die Antwort — die Antworten
was man sagt, wenn jemand etwas
gefragt hat
Darauf weiß ich so schnell keine Antwort.

auswählen — er wählt aus, er wählte aus,
er hat ausgewählt
entscheiden, was man haben möchte
oder braucht
Wählt passende Bilder für eine Ausstellung zum Thema Ritter aus!

die Frage — die Fragen
was man sagt, wenn man etwas
wissen will
Chris stellte viele Fragen zu der Aufgabe.

die Information — die Informationen
etwas, was du zum Beispiel von einer
Person oder aus einem Buch erfährst und
was du vorher nicht gewusst hast
*Welche Informationen über das Leben
im Mittelalter findest du in diesem Text?*

sich interessieren — er interessiert sich,
er interessierte sich, er hat sich interessiert
wenn man etwas mag, dazu viel wissen
will und sich deshalb damit beschäftigt
Kai interessiert sich für Flugzeuge.

das Internet
eine elektronische Quelle mit vielen
unterschiedlichen Informationen
*Im Internet findet man Texte, Bilder
und Filme zu sehr vielen Themen.*

das Lexikon — die Lexika
ein Buch, in dem man alphabetisch
geordnet Erklärungen zu verschiedenen
Begriffen findet
*Heute gibt es Lexika meist auch
in elektronischer Form.*

notieren — sie notiert, sie notierte,
sie hat notiert
Stichworte zu etwas aufschreiben,
damit man es nicht vergisst
*Wenn ich einen Text lese, notiere ich
mir die wichtigsten Informationen.*

recherchieren — er recherchiert,
er recherchierte, er hat recherchiert
Informationen zu einem Thema suchen
*Recherchiert, ob es in der Nähe
eurer Heimatstadt eine Ritterburg gibt!*

das Thema — die Themen
worüber zum Beispiel in einem Text
etwas gesagt wird
*Das Thema meines Vortrages ist
das Leben der Ritter im Mittelalter.*

wichtig
etwas, was eine große Bedeutung hat
*Die wichtigsten Informationen zu dieser
Frage findet man im Lexikon.*

So kann man ein Thema einführen:
es geht um ... – *In dem Text geht
es um das Leben der Ritter.*
handeln von ... – *Der Text handelt
vom Leben im Mittelalter.*

Malen und basteln

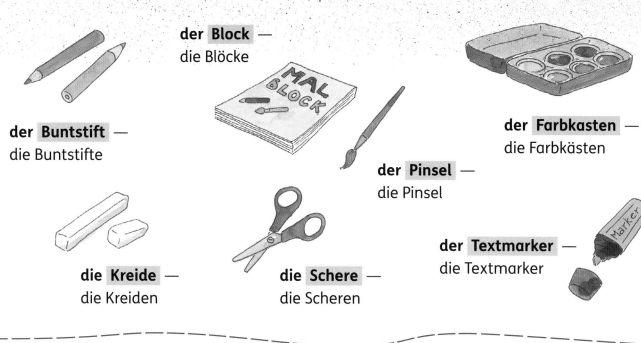

der Buntstift —
die Buntstifte

der Block —
die Blöcke

der Pinsel —
die Pinsel

der Farbkasten —
die Farbkästen

die Kreide —
die Kreiden

die Schere —
die Scheren

der Textmarker —
die Textmarker

---

die Farbe — die Farben

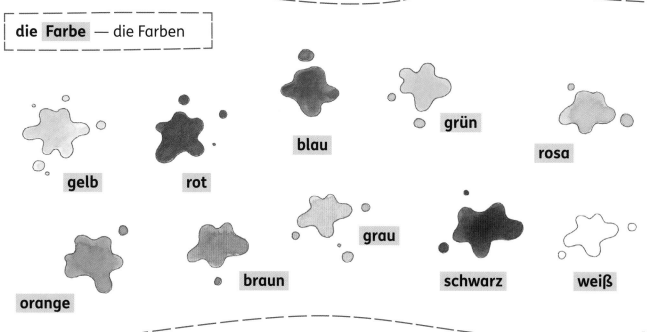

gelb

rot

blau

grün

rosa

orange

braun

grau

schwarz

weiß

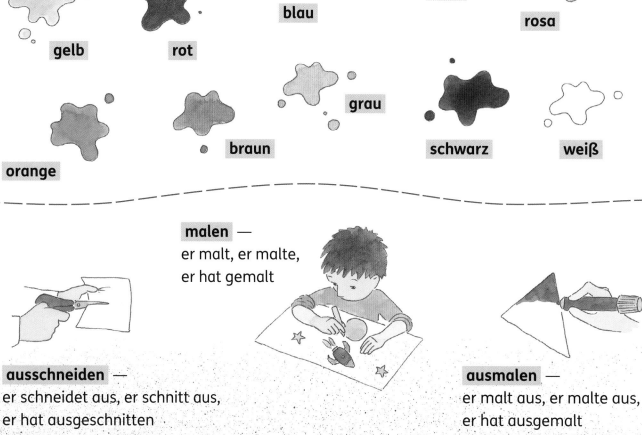

malen —
er malt, er malte,
er hat gemalt

ausschneiden —
er schneidet aus, er schnitt aus,
er hat ausgeschnitten

ausmalen —
er malt aus, er malte aus,
er hat ausgemalt

basteln — sie bastelt, sie bastelte,
sie hat gebastelt
> etwas aus einfachen Materialien wie zum
> Beispiel Papier oder Pappe herstellen
> *Anne und Marja basteln eine Sonnenuhr.*

die Collage — die Collagen
> etwas ausschneiden und neu zu einem
> Bild zusammensetzen
> *Wir haben heute zum Thema Umwelt
> eine Collage aus Zeitungsfotos gemacht.*

entwerfen — er entwirft, er entwarf,
er hat entworfen
> einen Plan oder eine Skizze für
> etwas machen
> *Mario entwirft sein Traumhaus.*

fertig
> wenn man etwas nicht mehr bearbeiten
> oder ändern muss, weil man mit dem
> Ergebnis zufrieden ist
> *Endlich ist mein Bild fertig! Ich habe eine
> ganze Woche daran gemalt.*

gestalten — er gestaltet, er gestaltete,
er hat gestaltet
> etwas herstellen oder Dinge anordnen
> und versuchen, es besonders schön oder
> interessant zu machen
> *Lukas und Tom haben eine Ausstellung zu
> Tieren im Wald gestaltet.*

kleben — er klebt, er klebte, er hat geklebt
> zwei Dinge, zum Beispiel aus Papier,
> aneinander fest machen
> *Sebastian klebt die Briefmarke auf
> die Karte.*

können — er kann, er konnte,
er hat ... können
> • etwas gut machen; in etwas gut sein
>   *Kai kann malen.*
> • dürfen; die Chance haben, etwas zu tun
>   *Du kannst den Pinsel hier benutzen,
>   ich brauche ihn nicht.*

der Leim
> Mittel, mit dem man etwas
> aufkleben kann
> *Tabea nimmt den Leim und klebt damit
> die Zeitungsausschnitte auf das Plakat.*

modellieren — sie modelliert,
sie modellierte, sie hat modelliert
> etwas aus Knete oder Ton formen
> *Sabine hat ein Pferd aus grüner
> Knete modelliert.*

das Papier
> meist weißes, dünnes Material,
> aus dem Zeitungen oder die Seiten
> in einem Buch sind
> *Ich habe ein Flugzeug aus Papier gebastelt.*

die Pappe
> dickeres, oft graues Papier
> *Mit Pappe kann man gut basteln.*

die Skizze — die Skizzen
> ein schnell gezeichnetes Bild, das die ers-
> ten Ideen zeigt und noch bearbeitet wird
> *Das ist nur eine Skizze. Später male
> ich das Bild noch mit Farbe.*

Präsentieren

der Vortrag — die Vorträge

die Überschrift — die Überschriften

die Folie — die Folien

die Gliederung — die Gliederungen

der Beamer — die Beamer

DIE STADT HAMBURG

GLIEDERUNG:
1. EINLEITUNG: Meine Heimatstadt Hamburg
2. Die Entstehung Hamburgs
3. Die Entwicklung Hamburgs
burg te
enfassung

!

So kann man die Gliederung vorstellen:
*Zuerst möchte ich ein paar Bilder von Hamburg zeigen.
Danach werde ich euch die Entstehung von Hamburg
erklären und die Entwicklung der Stadt beschreiben.
Zum Schluss will ich noch etwas über Hamburg heute sagen.*

die Ausstellung — die Ausstellungen

das Poster — die Poster

die Landkarte — die Landkarten

MEINE STADT GESTERN & HEUTE

das Foto — die Fotos

dann
> später; nach etwas anderem
> *Zuerst sage ich etwas über die Stadt Kiel und dann über die Kieler Förde.*

dort
> etwas, das weiter vom Sprecher weg ist
> *Dort oben auf dem Plakat kann man eine Postkarte aus Berlin von 1930 sehen.*

die Einleitung — die Einleitungen
> der Teil eines Vortrages oder eines Textes, in dem man kurz etwas über das Thema und die Gliederung sagt
> *In der Einleitung sagte Markus, dass er über den Waldbach sprechen möchte.*

gliedern — er gliedert, er gliederte, er hat gegliedert
> einen Vortrag oder einen Text nach dem Inhalt in Stücke teilen, damit man ihn leichter verstehen kann
> *Lukas muss seinen Vortrag noch besser gliedern.*

hier
> etwas, das nahe beim Sprecher ist
> *Hier seht ihr ein Bild vom Bremer Rathaus.*

passen — er passt, er passte, er hat gepasst
> wenn Sachen gut kombiniert werden können, zum Beispiel weil sie etwas gemeinsam haben oder ähnlich sind
> *Das Thema Fischfang passt gut zum Thema Umweltschutz.*

der Schluss
> Ende; der Teil am Ende
> *Zum Schluss eines Vortrages fasst man das Wichtigste noch einmal zusammen.*

sprechen — sie spricht, sie sprach, sie hat gesprochen
> sagen; Worte und Sätze laut formulieren
> *Ich werde heute in meinem Vortrag über das Leben auf dem Land sprechen.*

übersichtlich
> wenn etwas gut geordnet ist
> *Das Plakat ist sehr übersichtlich gestaltet.*

vorstellen — sie stellt vor, sie stellte vor, sie hat vorgestellt
> jemandem etwas sagen oder zeigen, der es noch nicht kennt
> *Ich möchte euch meine Heimatstadt München vorstellen.*

wiederholen — er wiederholt, er wiederholte, er hat wiederholt
> etwas noch einmal tun oder sagen
> *Ich habe dich nicht verstanden. Kannst du das noch einmal wiederholen?*

zeigen — er zeigt, er zeigte, er hat gezeigt
> - etwas so stellen, dass ein Publikum es sehen kann
>   *Ahmed und Lena zeigen in ihrer Ausstellung, wie Köln früher aussah.*
> - den Finger auf etwas richten
>   *Lena zeigte auf das Foto und sagte: „Das ist der Kölner Dom."*

Im Wald

der **Baum** — die Bäume

die **Baumkrone** — die Baumkronen

der **Zweig** — die Zweige

der **Ast** — die Äste

der **Stamm** — die Stämme

die **Wurzel** — die Wurzeln

der **Laubbaum** — die Laubbäume

die **Birke** — die Birken

die **Linde** — die Linden

die **Buche** — die Buchen

das **Blatt** — die Blätter

die **Kastanie** — die Kastanien

die **Eiche** — die Eichen

der **Nadelbaum** — die Nadelbäume

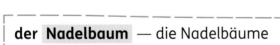

die **Fichte** — die Fichten

die **Nadel** — die Nadeln

die **Kiefer** — die Kiefern

die **Lärche** — die Lärchen

die **Tanne** — die Tannen

der **Zapfen** — die Zapfen

abfallen — er fällt ab, er fiel ab,
er ist abgefallen
   sich von etwas lösen und herunterfallen
   Die Blätter sind schon von den Bäumen
   abgefallen.

feucht
   ein bisschen nass
   Vor drei Tagen hat es geregnet. Im Wald
   ist es immer noch feucht.

der Förster — die Förster
   jemand, der sich beruflich um den Wald
   und die Tiere kümmert
   Susis Vater arbeitet als Förster.
   Er ist jeden Tag im Wald.

das Holz
   festes Teil vom Baum, das sich unter
   der Rinde befindet
   Aus Holz stellt man auch Papier her.

das Laub
   Blätter von Bäumen
   Im Herbst liegt unter den Bäumen
   viel Laub.

der Mischwald — die Mischwälder
   ein Wald, in dem Nadelbäume und
   Laubbäume wachsen
   Im Mischwald kann man zum Beispiel
   Fichten und Birken sehen.

das Moos — die Moose
   sehr niedrige Pflanze, die an Steinen
   und Baumstämmen wächst
   Kinder haben einen großen
   Stein gefunden, der
   mit Moos bedeckt war.

der Pilz — die Pilze
   ein Lebewesen mit Hut und Stiel,
   das im Wald wächst
   Manche Pilze darf man nicht
   essen, weil sie giftig sind.

die Rinde — die Rinden
   der Mantel um das Holz eines Baumes
   Die Birke hat eine schwarz-weiße Rinde.

sammeln — er sammelt, er sammelte,
er hat gesammelt
   verschiedene Früchte suchen
   und mitnehmen
   Wir haben gestern im Wald Brom-
   beeren gesammelt.

der Strauch — die Sträucher
   Busch; ein kleiner Baum ohne Stamm
   mit vielen Ästen
   Hinter dem Strauch versteckt sich ein Hase.

suchen — sie sucht, sie suchte,
sie hat gesucht
   nach etwas Bestimmten schauen
   Im Herbst gehen wir in den Wald
   Pilze suchen.

der Wald — die Wälder
   viele Bäume auf einer bestimmten Fläche
   Im Wald sollte man nicht schreien.

Waldtiere

das **Tier** — die Tiere

das **Eichhörnchen** — die Eichhörnchen

der **Hase** — die Hasen

der **Dachs** — die Dachse

der **Igel** — die Igel

das **Reh** — die Rehe

die **Waldmaus** — die Waldmäuse

das **Wildschwein** — die Wildschweine

der **Wolf** — die Wölfe

der **Bär** — die Bären

der **Hirsch** — die Hirsche

der **Schwanz** — die Schwänze

die **Schnauze** — die Schnauzen

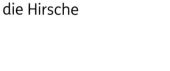

der **Fuchs** — die Füchse

die **Pfote** — die Pfoten

der **Vogel** — die Vögel

die **Eule** — die Eulen

der **Kuckuck** — die Kuckucke

der **Specht** — die Spechte

aussterben — er stirbt aus, er starb aus,
er ist ausgestorben
  wenn eine Tierart oder Pflanzenart
  aufhört zu existieren
  Dinosaurier sind vor Millionen Jahren
  ausgestorben.

beißen — er beißt, er biss, er hat gebissen
  mit den Zähnen verletzen
  Als ich klein war, hat mich ein Hund
  gebissen.

sich ernähren — er ernährt sich,
er ernährte sich, er hat sich ernährt
  Essen oder Futter zu sich nehmen
  Der Fuchs ernährt sich von Kaninchen,
  Mäusen, Vögeln, aber auch von Beeren.

der Feind — die Feinde
  ein Mensch oder ein Tier, das für andere
  gefährlich ist oder anderen schaden will
  Der Bär ist sehr stark und hat deshalb
  fast keine natürlichen Feinde.

fressen — er frisst, er fraß, er hat gefressen
  Die Menschen essen, die Tiere fressen.
  Der Specht frisst Insekten, Beeren
  und Samen.

jagen — er jagt, er jagte, er hat gejagt
  jemandem hinterher laufen
  und versuchen, ihn zu fangen
  Im Herbst jagen die Jäger Wildschweine.

der Jäger — die Jäger
  ein Mensch, der Tiere jagt
  Der Jäger hat einen Hasen erschossen.

die Krippe — die Krippen
  ein Bau aus Holz, wohin man im Winter
  Futter für Waldtiere legt
  Der Förster legt Heu in die Krippe.

die Nahrung
  alles, was Tiere oder Menschen essen
  oder trinken
  Zur Nahrung der Wildschweine gehören
  Mäuse, Früchte und auch Wurzeln.

das Nest — die Nester
  ein Bau aus Gras und Zweigen, in dem
  Vögel ihre Eier legen und ausbrüten
  Die Schwalbe baut ihr Nest aus Lehm.

scheu
  wenn Tiere Angst vor Menschen haben
  Die Rehe sind sehr scheu. Wenn sie ein
  Geräusch hören, laufen sie gleich weg.

die Spur — die Spuren
  ein Abdruck im Boden, den Menschen
  und Tiere mit ihren Füßen, Hufen oder
  Pfoten machen
  Im Wald haben wir Spuren von Rehen
  gesehen.

wild
  Pflanzen oder Tiere, die frei in der Natur
  leben
  Im Wald leben viele wilde Tiere.

143

Auf der Wiese

die **Biene** —
die Bienen

die **Eidechse** —
die Eidechsen

die **Ameise** —
die Ameisen

der **Marienkäfer** —
die Marienkäfer

der **Maulwurf** —
die Maulwürfe

der **Grashüpfer** —
die Grashüpfer

der **Regenwurm** —
die Regenwürmer

die **Schnecke** —
die Schnecken

die **Spinne** —
die Spinnen

der **Schmetterling** — die Schmetterlinge

der **Fühler** — die Fühler

der **Saugrüssel** —
die Saugrüssel

der **Flügel** —
die Flügel

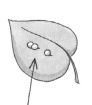

das **Ei** —
die Eier

die **Raupe** —
die Raupen

die **Puppe** —
die Puppen

der **Schmetterling** —
die Schmetterlinge

die **Pflanze** — die Pflanzen

das **Gras** —
die Gräser

der **Klee**

das **Gänseblümchen**

der **Löwenzahn**

blühen — er blüht, er blühte, er hat geblüht
wenn die Pflanzen Blüten haben
In unserem Park blühen jetzt viele
Blumen und Bäume.

die Blume — die Blumen
eine Pflanze mit relativ großer Blüte
Welche Blumen magst du am liebsten? –
Tulpen, Rosen, Lilien und Nelken.

duften — sie duftet, sie duftete,
sie hat geduftet
wenn etwas einen angenehmen
Geruch hat
Die Rosen duften sehr stark.

fliegen — sie fliegt, sie flog, sie ist geflogen
sich in der Luft bewegen
Die Bienen fliegen von einer Blume
auf die andere.

hüpfen — er hüpft, er hüpfte,
er ist gehüpft
eine Bewegung nach oben und nach
unten; kleine Sprünge machen
Der Hase hüpft über die Wiese.

der Käfer — die Käfer
ein kleines Insekt
Auf dem Boden krabbelt ein Käfer.

krabbeln — sie krabbelt, sie krabbelte,
sie ist gekrabbelt
wenn sich Insekten mit schnellen
Bewegungen nach vorne bewegen
An der Wand krabbelt eine Spinne.

mähen — er mäht, er mähte, er hat gemäht
Gras kurz schneiden
Der Vater hat im Garten den Rasen gemäht.

pflücken — er pflückt, er pflückte,
er hat gepflückt
Früchte mit der Hand von der Pflanze
abnehmen und sammeln
Wir haben reife Himbeeren gepflückt.

schön
hübsch; etwas, was jemandem gefällt
Auf der Wiese blühen schöne Blumen.

stechen — sie sticht, sie stach,
sie hat gestochen
wenn Bienen, Wespen oder Mücken
mit ihrem Stachel verletzen
Heute hat mich im Schwimmbad eine
Wespe gestochen.

verwelken — er verwelkt, er verwelkte,
er ist verwelkt
verblühen; wenn eine Blüte oder Blume
nicht mehr frisch ist
Ich habe vergessen, die Blumen zu
gießen, und sie sind verwelkt.

die Wiese — die Wiesen
eine Fläche, wo Gras und Blumen wachsen
Wenn das Gras auf der Wiese hoch ist,
wird es gemäht und zum Heu getrocknet.

Am Bach

die Forelle —
die Forellen

die Ente — die Enten

die Mücke —
die Mücken

die Seerose — die Seerosen

der Fischotter —
die Fischotter

die Libelle —
die Libellen

der Storch —
die Störche

---

der Stein — die Steine

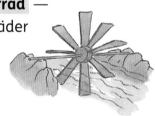

das Wasserrad —
die Wasserräder

die Angel —
die Angeln

der Kescher —
die Kescher

---

der Frosch — die Frösche

das Ei —
die Eier

die Kaulquappe —
die Kaulquappen

der Frosch —
die Frösche

angeln — er angelt, er angelte,
er hat geangelt
>Fische mit der Angel fangen
>*Die Fischer gehen sehr früh angeln.*

der Bach — die Bäche
>ein kleiner Fluß, der nicht tief und breit ist
>*Im Sommer gehen wir in den nahen
>Bach baden.*

entspringen — sie entspringt,
sie entsprang, sie ist entsprungen
>wenn das Quellwasser aus dem
>Boden kommt
>*Die Donau entspringt im Schwarzwald.*

fangen — er fängt, er fing, er hat gefangen
>etwas oder jemanden jagen und fest-
>halten
>*Unsere Katze hat eine Maus gefangen.*

fließen — er fließt, er floss, er ist geflossen
>etwas Flüssiges bewegt sich regelmäßig
>in eine Richtung
>*In der Nähe von unserem Haus fließt
>ein kleiner Bach.*

der Fluss — die Flüsse
>ein größeres fließendes Gewässer
>*In diesem Fluss leben Forellen
>und Fischotter.*

das Insekt — die Insekten
>ein kleines Tier, das keine Knochen hat
>und meistens fliegen kann
>*Fliegen, Ameisen und Käfer sind Insekten.*

klar
>wenn Wasser sauber und durchsichtig ist
>*Das Quellwasser ist ganz klar.*

münden — er mündet, er mündete,
er ist gemündet
>etwas fließt in etwas hinein
>*Der Fluss mündet ins Meer.*

plätschern — er plätschert, er plätscherte,
er hat geplätschert
>leise Geräusche von fließendem Wasser
>*Das Wasser im Bach plätschert.*

die Quelle — die Quellen
>die Stelle, an der das Wasser
>aus der Erde kommt
>*Aus dieser Quelle kann man trinken.*

trüb
>wenn Wasser verschmutzt und nicht
>durchsichtig ist
>*Das Wasser im Teich war trüb.*

das Ufer — die Ufer
>Land am Rand des Flusses oder Baches
>*Die Kinder rudern ans Ufer.*

Am Meer

der Kapitän — die Kapitäne

das Schiff — die Schiffe

der Leuchtturm — die Leuchttürme

der Anker — die Anker

das Boot — die Boote

die Möwe — die Möwen

der Wal — die Wale

der Delfin — die Delfine

der Seestern — die Seesterne

die Qualle — die Quallen

die Krabbe — die Krabben

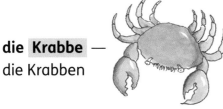

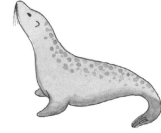

der Hai — die Haie

der Tintenfisch — die Tintenfische

der Seehund — die Seehunde

die Alge — die Algen

die Koralle — die Korallen

der Krebs — die Krebse

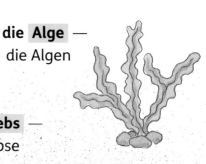

148

anlegen — er legt an, er legte an, er hat angelegt
mit einem Schiff im Hafen ankommen und es festmachen
Das Schiff hat gestern im Hafen angelegt.

auslaufen — er läuft aus, er lief aus, er ist ausgelaufen
das Schiff verlässt den Hafen und fährt aufs Meer
Das Schiff läuft morgen aus dem Hafen aus.

die Ebbe
die Zeit, wenn das Wasser im Meer zurückgeht
Bei Ebbe bewegt sich das Wasser vom Strand weg, bei Flut steigt das Wasser.

einlaufen — er läuft ein, er lief ein, er ist eingelaufen
das Schiff kommt in den Hafen
Gestern sind drei Schiffe in den Hafen eingelaufen.

die Flut
die Zeit, wenn das Meereswasser an der Küste ansteigt
Die Flut hat an die Küste viele Muscheln und Steine angeschwemmt.

der Hafen — die Häfen
ein Platz, an dem Schiffe anlegen, um Waren ein- und auszuladen oder Menschen an Bord zu nehmen
Der Hafen in Hamburg gehört zu den größten in der Welt.

die Insel — die Inseln
Land, das von allen Seiten mit Wasser umschlossen ist
Wir haben die Ferien auf einer kleinen Insel verbracht.

die Küste — die Küsten
das Land, das am Rand eines Meeres liegt
Die Küste ist oft mit Steinen bedeckt.

der Ozean — die Ozeane
ein großes Meer zwischen Kontinenten
Der Atlantische Ozean ist nach dem Pazifik das zweitgrößte Meer.

sinken — er sinkt, er sank, er ist gesunken
nach unten gehen
Das Schiff ist bei einem Sturm auf den Meeresboden gesunken.

stürmisch
wenn ein starker Wind weht und auf dem Meer große Wellen sind
Wenn das Meer zu stürmisch ist, darf man nicht baden.

windig
wenn sich die Luft schnell bewegt
An der Küste ist es oft sehr windig.

das U-Boot — die U-Boote
ein Schiff, das unter Wasser fährt
Das U-Boot kann im Meer ganz tief tauchen.

die **Wolke** —
die Wolken

die **Sonne**

der **Schnee**

der **Regenbogen** —
die Regenbögen

die **Schneeflocke** —
die Schneeflocken

der **Nebel** —
die Nebel

das **Gewitter** — die Gewitter

der **Regen**

Wie ist das Wetter?
Es regnet / schneit / donnert / blitzt / friert.
Es ist stürmisch / windig / wolkig / sonnig.

die **Pfütze** —
die Pfützen

der **Blitz** —
die Blitze

der **Regenschirm** —
die Regenschirme

°C = Grad Celsius
*Heute sind
drei Grad Celsius.*

das **Thermometer** —
die Thermometer

der Donner
der Knall, den man bei einem Gewitter hört
Mein kleiner Bruder hat Angst vor Donner.

der Eiszapfen — die Eiszapfen
Eiszapfen entstehen, wenn Wasser
heruntertropft und zu Eis wird.
Die Eiszapfen
an unserem Dach
sind sehr lang.

frieren — er friert, er fror, er hat gefroren
• wenn einem sehr kalt ist
  Wo ist meine Jacke? Ich friere.
• wenn es so kalt ist, dass das Wasser
  zu Eis wird
  Draußen friert es. Es sind -5°C.

der Frost
Temperatur unter null Grad
Wir haben schon seit drei Tagen Frost.

der Hagel
kleine, weiße Kügelchen aus Eis,
die vom Himmel fallen
Gestern gab es Hagel.

nass
Eine Sache ist nass, wenn sie
Wasser enthält.
Es hat geregnet, die Straße ist nass.

der Niederschlag — die Niederschläge
Wasser, das zum Beispiel als Regen,
Schnee oder Hagel vom Himmel fällt
Wann hören endlich diese Nieder-
schläge auf?

scheinen — sie scheint, sie schien,
sie hat geschienen
hell leuchten
Die Sonne scheint mir ins Gesicht.

schneien — es schneit, es schneite,
es hat geschneit
wenn Schnee vom Himmel fällt
Endlich schneit es! Komm, lass uns
einen Schneemann bauen.

die Temperatur — die Temperaturen
Information, wie kalt oder warm es ist
Bei diesen hohen Temperaturen können
wir schwimmen gehen.

trocken
wenn etwas kein Wasser enthält
Die Erde ist ganz trocken. Hoffentlich
regnet es bald.

der Wetterbericht — die Wetterberichte
Information, wie das Wetter werden soll
Wird es morgen regnen? Was sagt der
Wetterbericht?

der Wind — die Winde
bewegte Luft
Heute weht ein starker Wind.

starker / schwacher Wind
kein Wind = windstill

Das Wasser

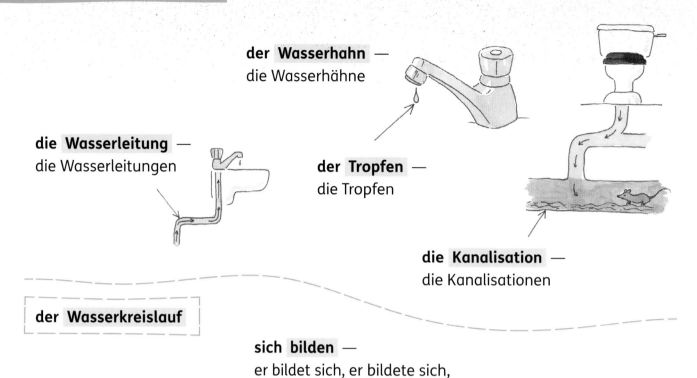

der **Wasserhahn** —
die Wasserhähne

die **Wasserleitung** —
die Wasserleitungen

der **Tropfen** —
die Tropfen

die **Kanalisation** —
die Kanalisationen

der **Wasserkreislauf**

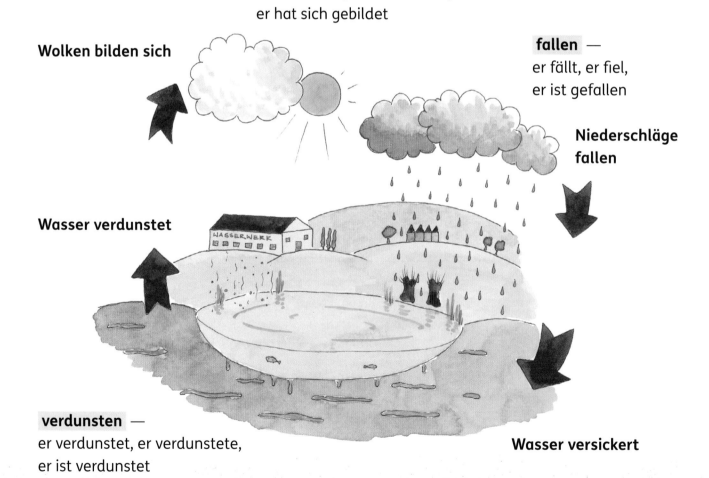

sich **bilden** —
er bildet sich, er bildete sich,
er hat sich gebildet

Wolken bilden sich

fallen —
er fällt, er fiel,
er ist gefallen

**Niederschläge
fallen**

Wasser verdunstet

verdunsten —
er verdunstet, er verdunstete,
er ist verdunstet

Wasser versickert

versickern —
er versickert, er versickerte,
er ist versickert

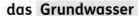

das Abwasser — die Abwässer
schmutziges Wasser, das in einer Fabrik
oder zu Hause entsteht
Das Abwasser fließt in die Kanalisation.

ein bisschen
nicht zu viel und nicht zu wenig
In dem Glas ist noch ein bisschen Wasser.

fest
etwas ist fast hart
Eis ist festes Wasser.

filtern — er filtert, er filterte, er hat gefiltert
wenn man feste Teile aus einer Flüssig-
keit mit einem Filter trennt
In dem Tee schwimmen Kräuterblätter.
Du musst den Tee noch filtern.

fließen — er fließt, er floss, er ist geflossen
wenn sich Flüssigkeiten in eine
bestimmte Richtung bewegen
Die Milch fließt mit Schwung aus
der Kanne.

flüssig
wenn Sachen nicht fest sind, sondern
sich bewegen können wie zum Beispiel,
Wasser, Milch, Tee, Limonade oder Öl
Das Schokoladeneis ist flüssig geworden.

das Grundwasser
Wasser, das sich unter der Erde sammelt
Wenn es viel regnet, gibt es auch viel
Grundwasser.

das Klärwerk — die Klärwerke
eine Art Fabrik, wo schmutziges Wasser
wieder sauber gemacht wird
Im Klärwerk stinkt es.

das Leitungswasser
Wasser, das aus dem Wasserhahn kommt
Ich mag kein Mineralwasser, ich
trinke viel lieber Leitungswasser.

das Trinkwasser
Wasser, das sauber ist und das man
trinken darf
In manchen Ländern in Afrika gibt es
nicht genug Trinkwasser.

verbrauchen — er verbraucht,
er verbrauchte, er hat verbraucht
etwas so nutzen, dass es danach weg ist
Das große Auto verbraucht viel Benzin.

der Wasserdampf — die Wasserdämpfe
wenn das Wasser nicht flüssig ist,
sondern sich als Gas in der Luft befindet
Wenn man Wasser kocht, entsteht
Wasserdampf.

das Wasserwerk — die Wasserwerke
eine Art Fabrik, wo Wasser für
die Haushalte vorbereitet wird
Unsere Stadt hat ein neues Wasserwerk.

Was macht man bei einem Experiment?
Man vermutet / beobachtet / beschreibt / erklärt.

das Mikroskop —
die Mikroskope

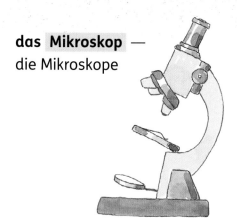

die Pinzette —
die Pinzetten

die Lupe —
die Lupen

DAS VERSUCHSPROTOKOLL

MATERIAL:
eine weiße Blume
ein Wasserglas mit Wasser
eine Tintenpatrone

FÜLLE DAS WASSERGLAS MIT
WASSER. GIB ETWAS TINTE IN DAS WASSER
UND STELLE DIE BLUME HINEIN.

VERMUTUNG: Ich glaube, dass die Blume
stirbt. Die Tinte ist giftig für die Blume.

BEOBACHTUNG: Nach einer Stunde wird
die Blüte ein bisschen blau.

SKIZZE:

1   2   1 Stunde

das Wasserglas —
die Wassergläser

der Arbeitsschritt — die Arbeitsschritte
Ein Experiment besteht aus mehreren Arbeitsschritten. Man muss ihre Reihenfolge genau einhalten.
Als ersten Arbeitsschritt sollen wir die Flasche mit Wasser füllen.

beobachten — er beobachtet, er beobachtete, er hat beobachtet
sich etwas länger und ganz genau anschauen
Bei einem Experiment haben wir beobachtet, wie sich die Blume verfärbt.

die Beobachtung — die Beobachtungen
das, was man mit allen Sinnen wahrgenommen hat
Peter notiert seine Beobachtungen auf dem Versuchsprotokoll.

die Erklärung — die Erklärungen
Begründung, warum etwas so ist, wie es ist, oder warum etwas geschehen ist
Warum ist das Glas kaputt? Hast du eine Erklärung?

experimentieren — er experimentiert, er experimentierte, er hat experimentiert
einen Versuch durchführen
In der Schule experimentieren wir gerade mit Wasser.

genau
wenn etwas stimmt und so ist, wie man wollte oder wie das Vorbild ist
In dem Glas sind genau 200 ml Wasser.

das Material — die Materialien
• Dinge, die man für eine bestimmte Aufgabe braucht
Hast du alle Materialien für das Experiment vorbereitet?
• Stoff, aus dem etwas besteht oder gemacht wird
Aus welchem Material ist das Boot?

die Notiz — die Notizen
kurz etwas aufschreiben, damit man es nicht vergisst
Jörg machte sich bei seinem Experiment kurze Notizen.

das Protokoll — die Protokolle
ein Text, in dem man genau beschreibt, was passiert ist oder worüber man gesprochen hat
Ich muss für die Schule noch ein Protokoll schreiben.

der Versuch — die Versuche
wenn man etwas probiert, um es zu erforschen oder zu prüfen
Tim führt einen Versuch durch. Er will wissen, ob Holz schwimmt.

vielleicht
wenn etwas nicht ganz sicher ist
Vielleicht kann uns mein Vater erklären, warum das Holz schwimmen kann.

Das sagt man auch:
der Versuch = das Experiment

die Steckdose —
die Steckdosen

der Schalter —
die Schalter

der Stecker —
die Stecker

die Windanlage —
die Windanlagen

die Solaranlage —
die Solaranlagen

der Stromkreislauf — die Stromkreisläufe

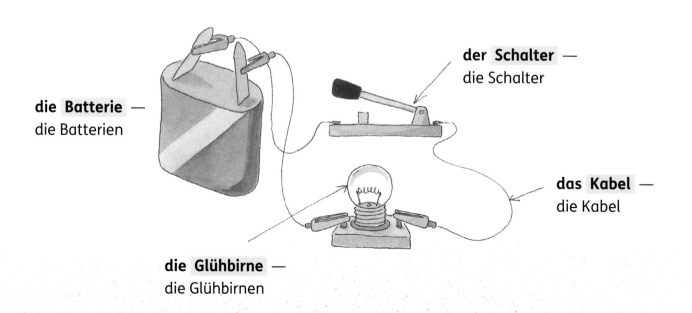

die Batterie —
die Batterien

der Schalter —
die Schalter

das Kabel —
die Kabel

die Glühbirne —
die Glühbirnen

ausschalten — er schaltet aus,
er schaltete aus, er hat ausgeschaltet
ein Gerät ausmachen
*Papa schaltet vor dem Schlafen
den Fernseher aus.*

einschalten — er schaltet ein,
er schaltete ein, er hat eingeschaltet
ein Gerät anmachen
*Wenn es dunkel wird, schalte ich
das Licht ein.*

elektrisch
wenn etwas mit Strom geladen oder
betrieben wird
*Unsere Tante hat eine elektrische Zahn-
bürste als Geschenk bekommen.*

die Energie
Kraft, die Sachen in Bewegung bringt
*Die Sonne strahlt Energie aus, aus der
man Strom produzieren kann.*

das Erdöl
Öl, das tief aus der Erde geholt wird
*Aus Erdöl stellt man Plastik, Benzin oder
elektrischen Strom her.*

das Gerät — die Geräte
Dinge, mit denen man arbeitet und die
oft das Arbeiten leichter machen
*Die Mutter hat drei neue Küchengeräte
gekauft – einen Dosenöffner, einen Mixer
und eine Kaffeemaschine.*

die Kohle
braune oder schwarze Steine, die brennen
*Kohle ist vor vielen Millionen Jahren aus
Pflanzen und Tieren entstanden.*

das Kraftwerk — die Kraftwerke
eine Art Fabrik, wo der elektrische Strom
hergestellt wird
*Für unsere Stadt wird ein neues Wasser-
kraftwerk gebaut.*

leiten — er leitet, er leitete, er hat geleitet
führen; hindurchgehen lassen, damit
etwas an eine bestimmte Stelle kommt
Rohre leiten das Wasser durch unser Haus.

leuchten — sie leuchtet, sie leuchtete,
sie hat geleuchtet
Licht machen
Die Glühbirne leuchtet ganz hell.

das Licht — die Lichter
was von der Sonne oder einer Lampe
ausgeht
Ich mag das Licht von Kerzen.

der Motor — die Motoren
eine Maschine, die Geräte in Bewegung
bringt
Autos und Motorräder haben einen Motor.

der Strom
elektrische Energie
*Fernseher oder Computer brauchen
elektrischen Strom, sonst funktionieren
sie nicht.*

umwandeln — er wandelt um,
er wandelte um, er hat umgewandelt
aus einer Sache etwas anderes machen
*Man kann Sonnenlicht in elektrischen
Strom umwandeln.*

Technik und Materialien

das **Werkzeug** — die Werkzeuge

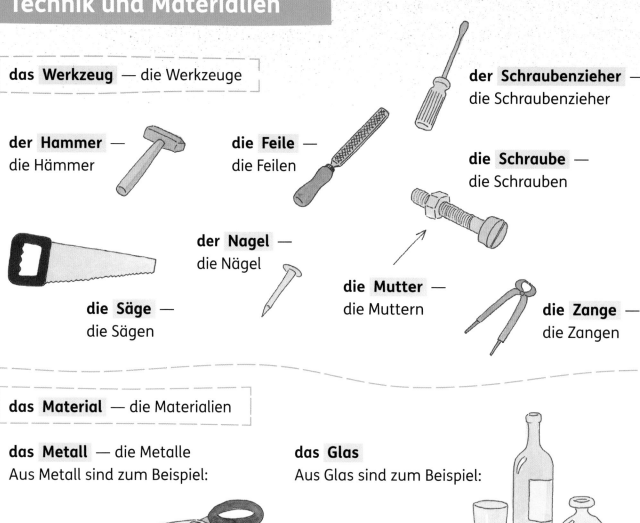

der **Hammer** —
die Hämmer

die **Feile** —
die Feilen

der **Schraubenzieher** —
die Schraubenzieher

die **Schraube** —
die Schrauben

der **Nagel** —
die Nägel

die **Mutter** —
die Muttern

die **Säge** —
die Sägen

die **Zange** —
die Zangen

---

das **Material** — die Materialien

das **Metall** — die Metalle
Aus Metall sind zum Beispiel:

das **Glas**
Aus Glas sind zum Beispiel:

der **Kunststoff** — die Kunststoffe
Aus Kunststoff sind zum Beispiel:

das **Holz** — die Hölzer
Aus Holz sind zum Beispiel:

---

die **Form** — die Formen

rund   eckig

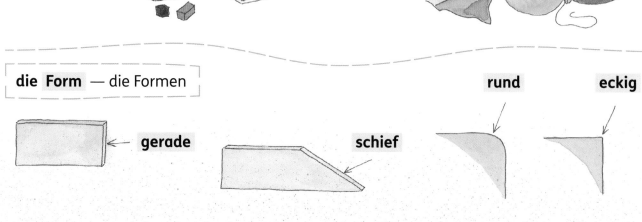

gerade   schief

befestigen — er befestigt, er befestigte,
er hat befestigt
> etwas an einer Stelle so anbringen,
> dass es hält
> *Ich befestige die neue Klingel am Fahrrad.*

die Bohrmaschine — die Bohrmaschinen
> ein Gerät, mit dem man Löcher
> machen kann
> *Die Mutter bohrt mit der Bohrmaschine
> ein Loch in die Wand.*

brauchen — er braucht, er brauchte,
er hat gebraucht
> wenn etwas wichtig ist und du
> es haben musst
> *Ich brauche eine Säge, damit ich
> das Brett absägen kann.*

das Brett — die Bretter
> ein Stück flaches Holz
> *Peter baut aus Brettern ein Vogelhaus.*

drehen — er dreht, er drehte,
er hat gedreht
> etwas im Kreise bewegen
> *Dreh bitte das Brett auf die andere Seite.*

einschlagen — er schlägt ein,
er schlug ein, er hat eingeschlagen
> etwas mit viel Kraft in etwas
> anderes hineinklopfen
> *Ich schlage mit dem Hammer den Nagel
> in das Brett ein.*

halten — er hält, er hielt, er hat gehalten
- etwas in den Händen haben und nicht
  loslassen
  *Kannst du bitte das Bild halten,
  damit es nicht herunterfällt?*
- etwas bleibt irgendwo fest
  *Das Plakat hält nicht an der Wand,
  es fällt immer herunter.*

stabil
> Sachen so miteinander verbinden,
> dass sie nicht auseinander fallen
> *Ich habe einen stabilen Turm gebaut.*

der Werkzeugkasten —
die Werkzeugkästen
> ein Koffer, in dem man Werkzeug wie
> zum Beispiel Hammer oder Säge hat
> *Weißt du, wo der Werkzeugkasten ist?
> Ich brauche eine Zange.*

ziehen — er zieht, er zog, er hat gezogen
> jemanden oder etwas mit Kraft
> in die Richtung zu sich bewegen
> *Kannst du bitte den Nagel mit der Zange
> aus dem Brett ziehen?*

zuerst
> am Anfang; als Erstes
> *Zuerst säge ich ein Stück Holz ab und
> dann feile ich es.*

zuletzt
> am Ende; zum Schluss
> *Zuletzt muss man das Brett lackieren.*

Der Umweltschutz

die **Müllabfuhr**

die **Deponie** — die Deponien

der **Müllcontainer** —
die Müllcontainer

die **Mülltonne** —
die Mülltonnen

die **Mülltrennung**

der **Papiermüll**

der **Biomüll**

der **Glasmüll**

der **Verpackungsmüll**

der **Restmüll**

der Grüne Punkt
= Verpackungen, die wiederverwertet
werden können, bekommen dieses
Zeichen

der Abfall — die Abfälle
alles, was wir nicht mehr brauchen und
wegwerfen
Tim wirft den Abfall in die Mülltonne.

entsorgen — er entsorgt, er entsorgte,
er hat entsorgt
etwas für immer beseitigen
Tom entsorgt seine alten Schulhefte,
er braucht sie nicht mehr.

das Gift — die Gifte
Stoff, der tödlich oder sehr gefährlich
für Menschen, Tiere oder Pflanzen ist
Spülmittel ist Gift, wenn man es trinkt.

der Müll
alles, was Menschen wegwerfen
In der Küche entsteht viel Müll.

der Rohstoff — die Rohstoffe
Stoff aus der Natur, aus dem etwas
hergestellt wird
Erdöl ist ein kostbarer Rohstoff.

schützen — sie schützt, sie schützte,
sie hat geschützt
dafür sorgen, dass einem Menschen,
einem Tier oder den Pflanzen nichts
Schlimmes geschieht
Wir müssen unsere Natur schützen.

sparen — er spart, er sparte, er hat gespart
möglichst wenig benutzen oder
ausgeben, damit viel übrig bleibt
Mit Wasser und Energie muss man sparen.

trennen — er trennt, er trennte,
er hat getrennt
unterschiedliche Sachen auseinander
sortieren
In Deutschland trennt man den Müll –
Plastik kommt in die gelbe Tonne,
Restmüll in die schwarze.

die Umwelt
die Welt um uns herum mit allen Tieren,
Pflanzen, Luft und Wasser
Manche Abfälle sind gefährlich für
die Umwelt.

umweltfreundlich
wenn etwas gut für die Natur ist
Es ist umweltfreundlicher, mit dem Zug
zu reisen als mit dem Auto.

der Umweltschutz
alles, was dafür sorgt, dass die Erde,
das Wasser, die Luft nicht zerstört
oder verschmutzt werden
Unsere Klasse engagiert sich für
den Umweltschutz.

verschmutzen — er verschmutzt,
er verschmutzte, er hat verschmutzt
etwas schmutzig machen
Autos und Fabriken verschmutzen die Luft.

wiederverwerten —
er verwertet wieder, er verwertete wieder,
er hat wiederverwertet
aus alten Sachen wieder neue machen
Glas kann man gut wiederverwerten.

Planeten und die Erde

der Astronaut —
die Astronauten

das Raumschiff —
die Raumschiffe

das Fernrohr —
die Fernrohre

| **der Himmelskörper** — die Himmelskörper |

die Sonne

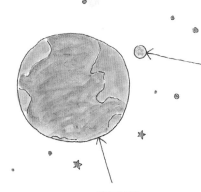

der Stern —
die Sterne

der Mond

die Erde

| **der Planet** — die Planeten |

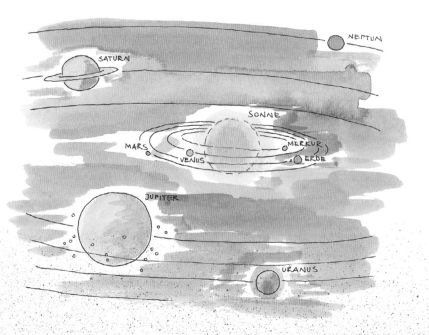

der **Merkur**

die **Venus**

die **Erde**

der **Mars**

der **Jupiter**

der **Saturn**

der **Uranus**

der **Neptun**

das Beispiel — die Beispiele

Wenn man etwas erklärt, nennt man oft Beispiele, damit der Zuhörer sich die Sache besser vorstellen kann.
Was ist ein Himmelskörper? – Zum Beispiel die Erde ist einer.

glühen — er glüht, er glühte, er hat geglüht

wenn etwas sehr heiß ist und darum Licht aussendet
Die Sterne sehen so hell aus, weil sie glühen.

der Himmel

was über dir ist, wenn du draußen bist und nach oben siehst
Wenn keine Wolken da sind, sieht der Himmel hellblau aus.

kreisen — er kreist, er kreiste, er ist gekreist

wenn sich etwas um eine Sache herum bewegt
Der Mond kreist um die Erde und die Erde kreist um die Sonne.

landen — er landet, er landete, er ist gelandet

wenn man nach einem Flug wieder auf das Land zurückkommt
Das Raumschiff ist auf dem Mond sicher gelandet.

schweben — er schwebt, er schwebte, er ist geschwebt

wenn sich etwas langsam in der Luft bewegt
Der Astronaut schwebte im Weltraum.

die Sternschnuppe — die Sternschnuppen

Licht, das man bei einem Meteorit beobachten kann
Viele denken, dass Sternschnuppen fallende Sterne sind.

die Sternwarte — die Sternwarten

ein Gebäude, von dem man Himmelskörper beobachten kann
In unserer Stadt wird eine neue Sternwarte gebaut.

unendlich

wenn etwas so groß ist, dass man das Ende nicht kennt
Der Weltraum ist unendlich.

ungefähr

wenn man nicht ganz genau weiß, wie etwas ist; etwa
Ungefähr hier stand früher eine Sternwarte.

der Weltraum

der Raum, wo sich Planeten und Sterne bewegen
Mit einem Raumschiff kann man in den Weltraum fliegen.

wissen — er weiß, er wusste, er hat gewusst

sagen können, wie etwas ist oder wie es funktioniert; etwas kennen
Weißt du, welche Planeten um die Erde kreisen?

167

Länder und Kontinente

die **Weltkarte** — die Weltkarten

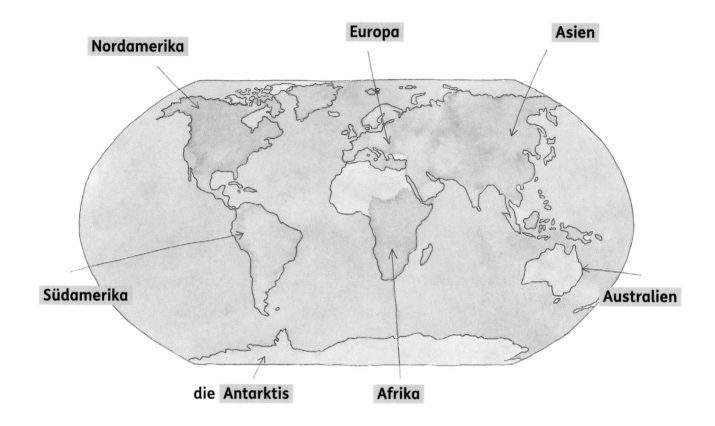

Nordamerika

Europa

Asien

Südamerika

die **Antarktis**

Afrika

Australien

die **Himmelsrichtung** — die Himmelsrichtungen

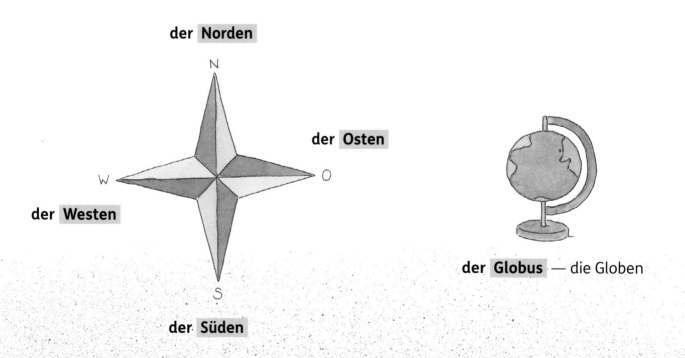

der **Norden**

der **Osten**

der **Westen**

der **Süden**

der **Globus** — die Globen

das Ausland
> Heimat ist für dich das Land, in dem du lebst. Alle anderen Länder sind für dich Ausland.
> *Fährst du in den Ferien ins Ausland?*

das Dorf — die Dörfer
> ein Ort, in dem nur wenige Menschen leben
> *Meine Großeltern wohnen in einem Dorf.*

der Einwohner — die Einwohner
> Menschen, die in einem Land oder einer Stadt leben
> *Deutschland hat etwa 80 Millionen Einwohner.*

die Entfernung — die Entfernungen
> Distanz; Information, wie weit zwei Sachen oder Orte voneinander weg sind
> *Die Entfernung zwischen Berlin und New York ist ungefähr 6000 Kilometer.*

fremd
> was man nicht kennt
> *Das Dorfleben ist mir sehr fremd.*

die Grenze — die Grenzen
> wo etwas zu Ende ist und etwas anderes beginnt, zum Beispiel die Grenze zwischen zwei Ländern
> *Im Osten hat Deutschland eine Grenze zu Polen.*

die Hauptstadt — die Hauptstädte
> die Stadt, von der aus ein Land regiert wird
> *Berlin ist die Hauptstadt von Deutschland.*

kommen — er kommt, er kam, er ist gekommen
> • aus einem Ort oder einem Land sein
> *Merve kommt aus der Türkei.*
> • sich zu jemandem oder etwas bewegen
> *Schau mal, da kommt Peter.*

das Land — die Länder
> ein Gebiet mit einer Grenze und einer Regierung; ein Staat
> *In welchen Ländern Europas warst du schon?*

das Land
> das Gebiet, wo keine großen Städte sind und das vor allem landwirtschaftlich genutzt wird
> *Meine Tante lebt auf dem Land und hat einen großen Bauernhof.*

reisen — sie reist, sie reiste, sie ist gereist
> sich von einem Ort zu einem anderen bewegen, weil man dabei etwas lernen kann und man es gerne tut
> *Monika reist oft nach Frankreich.*

die Stadt — die Städte
> ein Ort, in dem viele Menschen leben und wo es Geschäfte, Schulen und andere Einrichtungen gibt
> *Trier ist eine Stadt im Westen Deutschlands.*

zurück
> an einen Ort kommen, wo man schon einmal war
> *Meine Großeltern sind wieder aus dem Urlaub zurück.*

Das Jahr

die **Jahreszeit** — die Jahreszeiten

der **Frühling**

der **Sommer**

der **Herbst**

der **Winter**

der **Kalender** — die Kalender

das **Jahr** — die Jahre

der **Tag** — die Tage

der **Monat** — die Monate

In diesen Monaten ist …
Frühling = März, April, Mai
Sommer = Juni, Juli, August
Herbst = September, Oktober, November
Winter = Dezember, Januar, Februar

So lang ist…
ein Jahr = 12 Monate
ein Monat = ungefähr 4 Wochen
eine Woche = 7 Tage

ähnlich

wenn zwei Sachen fast gleich sind
Der Winter in diesem Jahr war ähnlich
wie im letzten Jahr: lang und kalt.

sich ändern — er ändert sich,
er änderte sich, er hat sich geändert

wenn etwas nicht gleich bleibt
Die Farbe der Blätter an den Bäumen
ändert sich mit den Jahreszeiten.

der Anfang — die Anfänge

Start / Beginn; wenn etwas neu losgeht
Am Anfang eines neuen Jahres kommt
der Monat Januar.

draußen

nicht innen; nicht in einem Zimmer
oder Gebäude
Ich spiele lieber draußen im Garten
als drinnen im Zimmer.

dunkel — dunkler, am dunkelsten

• wenn die Sonne nicht scheint oder
das Licht aus ist und man nur wenig
sehen kann
Im Winter wird es schon
nachmittags dunkel.
• bei Farben: Schwarz, Blau oder Braun
sind dunkle Farben
Dunkelblau ist dunkler als normales Blau.

das Ende — die Enden

wenn etwas aufhört; das Gegenteil
von Anfang
Weihnachten ist ein Fest am Ende
des Jahres.

fallen — er fällt, er fiel, er ist gefallen

wenn etwas oder jemand sich nach
unten bewegt, oft ohne dass er es will
Im Herbst fallen die Blätter von
den Bäumen.

hell

• wenn die Sonne scheint oder Licht an ist
und man alles sehen kann
Los, steh auf! Draußen ist es schon
längst hell.
• bei Farben: Weiß, Gelb oder Rosa sind
helle Farben
Hellgrün ist heller als normales Grün.

die Nacht — die Nächte

die Zeit von ungefähr 24.00 Uhr bis
6.00 Uhr, wenn es draußen dunkel ist
In der Nacht kann man die Sterne sehen.

die Natur

Pflanzen und Tiere und alles, was nicht
der Mensch gemacht hat
Draußen in der Natur kann man
viel entdecken.

der Tag — die Tage

• 24 Stunden
In drei Tagen ist Sommeranfang.
• die Zeit, in der es draußen hell ist
Im Winter sind die Tage kürzer.

Feste

Weihnachten

der Weihnachtsbaum —
die Weihnachtsbäume

Das sagt man ...

zu Weihnachten: *Frohe Weihnachten!*

zu Silvester: *Ein frohes neues Jahr!*

zu Ostern: *Frohe Ostern!*

zum Geburtstag: *Alles Gute zum Geburtstag!*

der Weihnachtsmann —
die Weihnachtsmänner

das Plätzchen —
die Plätzchen

die Kerze —
die Kerzen

der Adventskalender —
die Adventskalender

der Adventskranz —
die Adventskränze

Ostern

das Osterei —
die Ostereier

bemalen —
er bemalt, er bemalte,
er hat bemalt

verstecken —
sie versteckt, sie versteckte,
sie hat versteckt

der Osterhase —
die Osterhasen

suchen —
sie sucht, sie suchte,
sie hat gesucht

der Geburtstag — die Geburtstage

die Geburtstagskarte —
die Geburtstagskarten

das Geschenk —
die Geschenke

die Geburtstagstorte —
die Geburtstagstorten

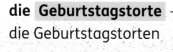

bekommen — er bekommt, er bekam,
er hat bekommen
> wenn dir jemand etwas gibt oder schenkt
> *Zu Weihnachten habe ich eine neue Ski-*
> *hose bekommen.*

einladen — sie lädt ein, sie lud ein,
sie hat eingeladen
> jemanden zu sich nach Hause oder
> an einen Ort bitten und sich dort
> um ihn kümmern
> *Pia hat Tim zu ihrem Geburtstag*
> *eingeladen.*

feiern — er feiert, er feierte, er hat gefeiert
> wenn etwas Besonderes passiert ist oder
> ein Feiertag ist und man gemeinsam gut
> isst, trinkt und schöne Sachen macht
> *Dieses Jahr feiere ich mit Achim Silvester.*

der Feiertag — die Feiertage
> ein Tag, an dem man nicht arbeiten
> muss, obwohl kein Wochenende ist
> *Der 1. Mai ist in Deutschland ein Feiertag.*

das Fest — die Feste
> wenn Menschen zusammen kommen
> und etwas feiern, z. B. eine Hochzeit
> *Weihnachten ist ein Fest, das wir mit*
> *der ganzen Familie feiern.*

der Gast — die Gäste
> jemand, der eingeladen wird
> *Zu Maries Hochzeit kamen viele Gäste.*

geben — er gibt, er gab, er hat gegeben
> etwas mit der Hand zu jemandem be-
> wegen, so dass dieser es nehmen kann
> *Paul gibt Sabine noch ein Stück Kuchen.*

der Geburtstag — die Geburtstage
> Man feiert jedes Jahr an dem Tag, an
> dem man geboren wurde.
> *Marianne hat am 5. Juni Geburtstag.*

gratulieren — er gratuliert, er gratulierte,
er hat gratuliert
> jemandem die Hand geben und ihm
> alles Gute wünschen – zum Beispiel zur
> Hochzeit oder zur bestandenen Prüfung
> *Ich muss Tante Lisa noch gratulieren.*
> *Sie hat heute Geburtstag.*

der Karneval
> ein Fest im Februar, zu dem man
> sich verkleidet
> *Karneval heißt manchmal auch Fasching*
> *oder Fastnacht.*

schenken — er schenkt, er schenkte,
er hat geschenkt
> jemandem etwas geben, das er behalten
> kann und nichts dafür bezahlen muss
> *Was schenkst du Pia zum Geburtstag?*

Silvester
> ein Fest am 31.12., an dem man den
> Wechsel vom alten ins neue Jahr feiert
> *Zu Silvester gibt es um Mitternacht oft*
> *ein Feuerwerk.*

1	2	3	4	5
eins	**zwei**	**drei**	**vier**	**fünf**
6	7	8	9	10
sechs	**sieben**	**acht**	**neun**	**zehn**
11	12	13	14	15
elf	**zwölf**	**dreizehn**	**vierzehn**	**fünfzehn**
16	17	18	19	
sechzehn	**siebzehn**	**achtzehn**	**neunzehn**	

20

zwanzig

30	**dreißig**
40	**vierzig**
50	**fünfzig**
60	**sechzig**
70	**siebzig**
80	**achtzig**
90	**neunzig**
100	**hundert**

!

Zahlen 21 bis 99 liest man
im Deutschen von hinten:

21 =	1	und	20
	ein	und	zwanzig
56 =	6	und	50
	sechs	und	fünfzig

Der Wievielte?

Lisa ist die Erste, Luis der Zweite und Wuffi der Dritte.

die Erste

der Zweite **der Dritte**

der/die/das Vierte

Die Zahlen der Reihenfolge bildest du so:

	Zahl	+ Endung -te	
11.	elf	+ -te	= der/die/das Elfte

Bei Zahlen ab 20 mit der Endung -ste

20.	zwanzig + -ste	= der/die/das Zwanzigste

der/die/das Fünfte

der/die/das Sechste

der/die/das Siebte

der/die/das Neunte

der/die/das Achte

der/die/das Zehnte

der Monat — die Monate

JANUAR	FEBRUAR	MÄRZ	APRIL	MAI	JUNI
11.1. Oma Geburtstag				26.5. ich Geburtstag	

JULI	AUGUST	SEPTEMBER	OKTOBER	NOVEMBER	DEZEMBER
Ferien	Ferien				24.12. Heilig- Abend

der Tag — die Tage

Montag   Dienstag

Mittwoch   Donnerstag

Freitag   Samstag   Sonntag

Wann?

Bei Monaten, Jahren und Jahreszeiten benutzen wir die Präposition **im**:
im Januar / im Jahr 2010 / im Frühling

Bei Tagen benutzen wir die Präposition **am**:
am Montag / am Wochenende

grüßen — er grüßt, er grüßte, er hat gegrüßt

morgens
Guten Morgen!

mittags und nachmittags
Guten Tag!

!

Zu Freunden, Familienmitgliedern
und Bekannten sagt man:

Hallo! / Hi!

mittags
Guten Appetit! / Mahlzeit!

abends
Guten Abend!

nachts
Gute Nacht!

sich verabschieden — er verabschiedet sich,
er verabschiedete sich, er hat sich verabschiedet

Tschüss!

Bis später! / Bis morgen! / Bis Dienstag! ...

Auf Wiedersehen!

Europa

Ich komme aus...

Deutschland

England / Großbritannien

Finnland

Frankreich

Griechenland

den Niederlanden (Plural)

Irland

Italien

Norwegen

Österreich

Polen

Russland

Schweden

der Schweiz

der Slowakei

Spanien

Tschechien

der Türkei

Ungarn

Ich bin...

Deutscher / Deutsche

Engländer / Engländerin

Finne / Finnin

Franzose / Französin

Grieche / Griechin

Niederländer / Niederländerin

Ire / Irin

Italiener / Italienerin

Norweger / Norwegerin

Österreicher / Österreicherin

Pole / Polin

Russe / Russin

Schwede / Schwedin

Schweizer / Schweizerin

Slowake / Slowakin

Spanier / Spanierin

Tscheche / Tschechin

Türke / Türkin

Ungar / Ungarin

die Schweiz / die Slowakei /
die Türkei
die Niederlande (Plural)

Welche Sprache sprichst du?
Ich spreche deutsch / englisch /
französisch / russisch...

ich

du

er

sie

es

wir

ihr

sie

KÖNNEN SIE MIR BITTE SAGEN, WIE SPÄT ES IST?

Zu Erwachsenen sagt man
meistens nicht **du**, sondern **Sie**.

Sie

Wem gehört es?

mein / meine / mein
Das ist mein Ball.
Der Ball gehört mir.

dein / deine / dein
Das ist deine Puppe.
Die Puppe gehört dir.

Ihr / Ihre / Ihr
Das ist Ihre Brille.
Die Brille gehört Ihnen.

sein / seine / sein
Das ist sein Fahrrad.
Das Fahrrad gehört ihm.

ihr / ihre / ihr
Das sind ihre Inliner.
Die Inliner gehören ihr.

unser / unsere / unser
Das ist unser Auto.
Das Auto gehört uns.

euer / eure / euer
Das ist euer Hund.
Der Hund gehört euch.

ihr / ihre / ihr
Das ist ihr Haus.
Das Haus gehört ihnen.

Wer?

damit fragst du nach einer Person
Wer kommt mit ins Theater?

jemand – man weiß nicht, wer es ist
niemand / keiner – keine Person
jeder – alle Personen
alle (Plural)
manche – nicht alle Personen,
   nur bestimmte
viele – nicht alle Personen, aber
   die meisten von ihnen

Was?

damit fragst du nach einer Sache
oder einer Tätigkeit
Was möchtest du machen?

etwas – man weiß nicht konkret, was es ist
nichts – keine Sache

Wie oft?

damit fragst du nach der Häufigkeit
Wie oft spielst du Fußball?

immer – die ganze Zeit
oft – sehr häufig; fast immer
manchmal – ab und zu; ein paar Mal
selten – nicht so oft
nie – nicht ein einziges Mal

Wo?

damit fragst du nach einem Ort
oder nach einer Stelle
Wo steht deine Freundin?

draußen   **drinnen**

oben

unten

vorn   **hinten**

182

Wie?

damit fragst du nach der Art
und Weise, wie etwas ist
*Wie ist das Wetter draußen? –
Es ist sehr warm.*

Welcher? / Welche? / Welches?

damit fragst du, wenn du zwei Personen
oder zwei Sachen vergleichst
*Welche Hose findest du schöner –
die blaue oder die rote? – Die blaue.*

Wie viel?

damit fragst du nach der Menge
*Wie viel Zeit hast du noch? – Sehr wenig,
ich muss gleich wieder gehen.*

Wohin?

damit fragst du nach dem Ziel
Wohin gehst du? – Ins Kino.

Woher?

damit fragst du nach der Herkunft
*Woher kommst du gerade? –
Aus dem Kino.*

Wieso?

damit fragst du, wenn du dich wunderst
*Wieso kommst du so spät? –
Weil ich noch bei Oma war.*

Warum?

damit fragst du nach dem Grund
*Warum bist du gestern nicht
gekommen? – Weil ich keine Zeit hatte.*

Was für ein ... ? / Was für eine ... ?

damit fragst du allgemein nach einer
Person oder einer Sache
*Was für eine Hose möchtest du haben? –
Eine kurze, braune.*

Wann?

damit fragst du nach dem Zeitpunkt
Wann kommst du wieder? – Morgen.

Wenn man ohne ein W-Wort
(wer, was, warum...) fragt,
lautet die Antwort:

Ja.
Nein.
Vielleicht.
Ich weiß nicht.

Kommst du mit ins Kino? – Ja, gerne!

Im Deutschen kann man oft neue Substantive bilden, wenn man zwei Wörter zusammenfügt.

der Fuß + der Ball = der Fußball

der Zahn + die Bürste = die Zahnbürste

das Haus + die Tür = die Haustür

der Brief + der Kasten = der Briefkasten

Das erste Wort erklärt oft das zweite näher:
die Zahnbürste = eine Bürste für die Zähne

Auch bei Verben kann man neue Wörter bilden. Die einzelnen Teile stehen im Satz oft getrennt.

aus + machen = ausmachen

Mach bitte das Licht aus.

weg + fahren = wegfahren

Papa fuhr mit dem Auto weg.

Manche Verben haben dann
gegensätzliche Bedeutungen.

anziehen <—> **ausziehen**   **aufmachen** <—> **zumachen**

Neue Adjektive kann man meistens
mit den Wortteilen **-lich / -isch** oder
-ig bilden.

der **Freund** + **-lich** = **freundlich**

der **Sturm** + **-isch** = **stürmisch**

der **Saft** + **-ig** = **saftig**

Wortfamilie

Alle Wörter, die den gleichen Wort-
stamm haben (zum Beispiel **Arbeit**),
gehören zu einer Wortfamilie.

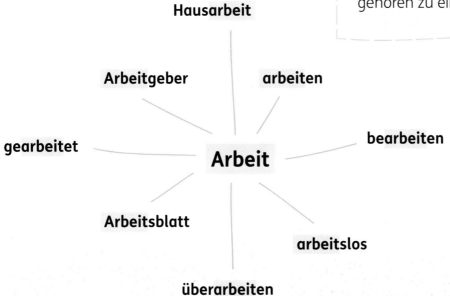

185

Wörterliste

A

		Seite
	abbiegen	87
der	Abend	35
das	Abendessen	34
das	Abenteuer	121
die	Abfahrt	91
der	Abfall	163
	abfallen	141
	abnehmen	130
der	Absatz	22
	abschreiben	23
der	Absender	128
das	Abteil	91
	abtrocknen	47; 64
	abwaschen	64
das	Abwasser	155
	abwischen	18
	acht	174
der/die/das		
	Achte	175
	achtzehn	174
	achtzig	174
	addieren	24
die	Adresse	130
der	Adventskalender	172
der	Adventskranz	172
der	Affe	104
	Afrika	168
	ähnlich	171
die	Ähre	100
die	Alge	148
	alle	182
	allein	57
das	Alphabet	23
	alt	10
das	Alter	11
die	Altstadt	85
die	Ameise	144
die	Ampel	88
	an	60
die	Ananas	68
	anbauen	101
	anbieten	93
sich	ändern	171
der	Anfang	171

	anfangen	115
die	Angel	146
	angeln	147
die	Angst	14
	Angst haben	15
	ängstlich	14
	anhaben	81
	anhalten	89
der	Anhang	128
der	Animationsfilm	116
der	Anker	148
	anklicken	129
	ankommen	91
	ankreuzen	26
die	Ankunft	91
	anlegen	149
	anmachen	63
sich	anmelden	129
	anrufen	131
sich	anschauen	125
	anschreiben	18
sich	ansehen	117
	anspitzen	18
die	Antarktis	168
die	Antwort	133
	antworten	19
sich	anziehen	34; 81
	anzünden	96
der	Apfel	68
die	Apfelsine	68
die	Apotheke	92
der	Appetit	75
der	Applaus	115
die	Aprikose	68
das	Aquarium	105
die	Arbeit	95
	arbeiten	95
der	Arbeitgeber	95
das	Arbeitsamt	95
das	Arbeitsblatt	26
	arbeitslos	95
der	Arbeitsschritt	157
	ärgern	15
sich	ärgern	15
	arm	79
der	Arm	42

die	Armbanduhr	32
der	Arzt	50
die	Ärztin	50
die	Asche	97
	Asien	168
der	Ast	140
der	Astronaut	166
	atmen	43
	auf	60
	aufführen	115
die	Aufgabe	26
	auflegen	130
	aufpassen	89
	aufräumen	61
	aufschlagen	19
	aufsetzen	81
	aufstehen	34
	aufwachen	35
das	Auge	12; 44
die	Augenbraue	44
die	Aula	29
	ausfallen	21
der	Ausflug	109
das	Ausland	169
	auslaufen	149
	ausleihen	119
	ausmachen	63
	ausmalen	134
	auspacken	19
	auspressen	69
das	Ausrufezeichen	22
sich	ausruhen	63
	ausschalten	159
	ausschneiden	134
	aussehen	13
die	Aussicht	109
	aussprechen	23
	aussteigen	91
	ausstellen	125
die	Ausstellung	136
das	Ausstellungsstück	124
	aussterben	143
	Australien	168
	auswählen	75; 133
	ausziehen	35; 59; 81
sich	ausziehen	35